Éditrice : Caty Bérubé

Directrice générale : Julie Doddridge

Chef d'équipe production éditoriale : Crystel Jobin-Gagnon
Chef d'équipe production graphique : Marie-Christine Langlois
Coordonnatrice à la production : Marjorie Lajoie
Chefs cuisiniers : Benoit Boudreau et Richard Houde.

Rédactrice en chef : Laurence Roy-Tétreault
Auteurs : Caty Bérubé, Benoit Boudreau et Richard Houde.
Rédactrices : Miléna Babin, Fernanda Machado Gonçalves, Marie-Pier Marceau et Raphaële St-Laurent Pelletier.
Réviseures : Marilou Cloutier et Corinne Dallain.
Assistantes à la production : Edmonde Barry et Nancy Morel.
Conceptrices graphiques : Sonia Barbeau, Sheila Basque, Annie Gauthier, Karyne Ouellet et Josée Poulin.
Spécialiste en traitement d'images et calibration photo : Yves Vaillancourt
Photographes : Mélanie Blais, Rémy Germain et Marie-Ève Lévesque.
Photographe et vidéaste : Tony Davidson
Superviseure stylisme culinaire : Christine Morin
Stylistes culinaires : Laurie Collin et Carly Harvey.

Directeur de la distribution : Marcel Bernatchez
Distribution : Éditions Pratico-pratiques et Messageries ADP.

Nous remercions Monsieur Micael Béliveau (Maître Fumeur) et Canadian Tire pour leur aimable collaboration.

Impression : TC Interglobe

Dépôt légal : 2e trimestre 2018
Bibliothèque et Archives nationales du Québec
Bibliothèque et Archives Canada
ISBN 978-2-89658-657-8

Gouvernement du Québec - Programme de crédit d'impôt pour l'édition de livres - Gestion SODEC

1685, boulevard Talbot, Québec (QC) G2N 0C6
Tél. : 418 877-0259
Sans frais : 1 866 882-0091
Téléc. : 418 780-1716
www.pratico-pratiques.com

Commentaires et suggestions : info@pratico-pratiques.com

Les plaisirs gourmands de Caty

Barbecue & fumoir

Table des matières

Mes plaisirs gourmands

L'art de transformer l'ordinaire en festin

Vivement le premier barbecue de la saison ! Filet mignon ou brochette pour l'inauguration ? Comme ce moment est plaisant et convivial ! J'adore les longues soirées estivales où famille et amis sont rassemblés à l'extérieur, une bonne bière froide à la main, appréciant les différentes odeurs des viandes et des accompagnements qui grillent tranquillement ! D'ailleurs, suis-je la seule à prendre plaisir à sentir les effluves de festins grillés de tout le voisinage à l'heure du souper ?

Chez nous, c'est la fête pratiquement tous les weekends : on sort les assiettes et les grillades, et on est prêts à cuisiner et à se régaler pendant des heures ! Nous avons d'ailleurs fait l'achat d'un fumoir l'an dernier, et je dois dire que j'y voyais peu d'intérêt au départ... jusqu'à ce que je goûte le meilleur poulet fumé de ma vie ! Un véritable délice qui avait cuit toute la journée, accompagné d'une sauce maison et d'une salade fraîche : rien de tel pour plaire à nos convives !

La formule barbecue est celle qui conjugue quelques-uns de mes petits plaisirs de la vie : me réunir avec mes proches dans la simplicité et en plein air, et ce, tout en dégustant des plats savoureux ! C'est une option rapide en semaine et rassembleuse le weekend. Vous serez certainement d'accord avec moi : TOUT est meilleur sur le barbecue et au fumoir ! C'est le meilleur moyen de transformer l'ordinaire en délice, du simple hot-dog grillé au steak longuement mariné. J'aime tellement le goût d'une brochette croustillante ou d'une papillote assaisonnée à la perfection ! Miam !

J'espère que ce livre plutôt festif vous poussera à tester des recettes surprenantes ou simplement à adopter votre nouvelle marinade préférée !

Bon barbecue !

Caty

Griller et fumer ses aliments **comme un pro**

Quel plaisir de sortir de la maison pour concocter des grillades parfumées ! Pour leur conférer un max de goût et une tendreté optimale, il faut toutefois maîtriser l'art de cuisiner sur le gril et se familiariser avec quelques règles de base !

Bien que ce mode de cuisson soit plutôt simple, le barbecue exige un minimum de connaissances pour assurer la réussite d'un mets : savoir concocter une bonne marinade, obtenir une chair tendre et juteuse, cuire ses aliments de la manière la plus saine qui soit, réaliser des brochettes parfaites… Plusieurs facteurs fondamentaux, que nous rappellerons dans ce dossier, peuvent influencer le résultat ! Vous y trouverez aussi nos conseils pour conférer un goût unique à vos aliments grâce au fumage.

C'est le temps de faire le plein de conseils de pro avant de mordre à pleines dents dans vos savoureuses grillades. Bonne saison du gril !

Barbecue

Secrets de marinage

Lorsque vous préparez une marinade liquide, mélangez trois parts d'huile pour une part d'ingrédient acide (citron, yogourt, vinaigre, vin, etc.). Pour les quantités, calculez environ 250 ml (1 tasse) de marinade pour 1 kg (environ 2 ¼ lb) de viande. Prévoyez un marinage d'environ 30 minutes à 2 heures pour le poisson et les fruits de mer, de 2 à 8 heures pour le poulet et le porc, et de 3 à 12 heures pour la viande rouge. Faites mariner vos aliments au frigo dans un contenant ou un sac hermétique.

Astuces pour un repas sur le gril réussi !

Voici un rappel des essentiels pour cuisiner sur le gril comme un pro !

1. **Préchauffer le barbecue pendant 10 à 15 minutes.** Pour un barbecue au charbon, il faudra toutefois patienter environ 45 minutes.
2. **Sortir la viande du réfrigérateur 30 minutes à l'avance.** Si vous cuisinez des biftecks, il est préférable de laisser la viande à température ambiante un peu avant la cuisson afin d'assurer une cuisson plus uniforme. Ainsi, on évite les steaks cuits à l'extérieur et froids à l'intérieur !
3. **Huiler la grille du barbecue** avec de l'huile d'olive, de tournesol ou de canola pour empêcher les aliments de coller.
4. **Marquer la viande.** Une viande qui affiche un beau marquage, c'est tellement appétissant ! Pour ce faire, faites saisir la viande sur la grille huilée et bien chaude en la disposant de biais, à un angle de 45° par rapport à la grille, et sans la déplacer.
5. **Limiter les manipulations.** Évitez de retourner votre viande à plus d'une reprise ou de la presser dans le but de la cuire plus rapidement, car son jus s'échappera et elle perdra en tendreté.
6. **Laisser reposer la viande après la cuisson.** Couvrez vos viandes de papier d'aluminium, loin de la source de chaleur, afin de permettre au jus de se répandre dans la chair et à celle-ci d'être plus tendre.

TRUCS DE PRO POUR LA CUISSON

Voici nos conseils pour réussir…

… vos brochettes : pour favoriser une cuisson uniforme, laissez un espace entre chaque morceau d'aliment. Ainsi, la chaleur se répartira mieux. Pour les morceaux plus délicats (champignons, pétoncles, crevettes, etc.), n'hésitez pas à les piquer sur deux brochettes côte à côte. Pour empêcher les morceaux indisciplinés de bouger, préférez des brochettes de forme carrée plutôt que ronde.

… vos galettes de burger : pour conserver leur jus et leur conférer un beau marquage, ne les retournez qu'une seule fois en cours de cuisson, soit après cinq à six minutes.

… votre tofu : optez pour du tofu ferme ou extra-ferme, épongez le surplus d'eau, puis faites-le mariner au moins 30 minutes. Faites-le cuire à la manière d'un steak, c'est-à-dire en tranches ou en brochettes, en calculant de trois à quatre minutes de cuisson à puissance moyenne-élevée par côté.

SAVEURS AU RENDEZ-VOUS

Parfumer ses grillades, c'est loin d'être compliqué. Voici quelques idées pour leur injecter un max de saveurs !

- **Fumée liquide.** On peut l'utiliser pour badigeonner les aliments ou pour rehausser une marinade.
- **Cuisson sur planche de bois.** Cet accessoire permet de transférer les arômes subtils de l'essence de bois aux aliments.
- **Marinade sèche.** Pour parfumer les coupes plus tendres (filet mignon, contre-filet, etc.) sans l'ajout de corps gras, appliquez des sels à frotter (mélange d'épices au choix) des deux côtés de la viande avant la cuisson sur le gril.
- **Saveur caramélisée.** Pour donner un p'tit goût sucré à vos grillades sans les faire brûler, enrobez-les de votre sauce à badigeonner sucrée dans les 10 dernières minutes de cuisson seulement.
- **Salsa maison.** Si vous n'avez pas le temps de faire mariner vos grillades, accompagnez-les d'une salsa composée de légumes (concombre, oignon rouge, etc.), de fruits (tomates, avocats, fraises, mangues, etc.), de jus de lime, d'huile et de fines herbes au choix.
- **Bière.** Puisqu'elle a un goût neutre, la bière parfume les aliments sans pour autant leur conférer son goût distinctif. Les bières blanches et blondes s'accordent à merveille à la volaille, les bières fortes (noires ou ambrées de type ale) mettent en valeur les viandes à saveur prononcée (bœuf, agneau, gibier, etc.), tandis que les bières blanches d'inspiration belge et les bières à fermentation basse (pilsner ou lager) rehaussent le poisson et les fruits de mer.
- **Vin et porto.** On peut intégrer ces ingrédients dans une marinade, mais aussi s'en servir pour y tremper des brochettes en bois et ainsi diffuser plus de saveurs aux aliments !

Cuire des légumes surgelés sur le BBQ

Pas le temps de parer les légumes pour les cuire sur le gril ? Pas de panique ! Vos réserves de légumes surgelés peuvent très bien faire l'affaire ! La meilleure technique pour cuire ces derniers est la papillote. Assurez-vous de doubler le papier d'aluminium (ou de mettre un papier parchemin à l'intérieur du papier d'aluminium) afin d'empêcher le jus de s'échapper en cours de cuisson. Tentez de regrouper les légumes selon leur taille afin d'offrir à chacun le temps de cuisson optimal. Attention aux pois et au maïs sucré, qui ont tendance à brûler plus facilement en raison de leur petite taille !

Entretien du barbecue

Pour éliminer les traces de résidus carbonisés tenaces entre chaque utilisation, munissez-vous d'une brosse métallique. Toutefois, soyez vigilant : assurez-vous qu'aucun poil métallique ne colle à la grille et ne se retrouve sur vos aliments. Pour un nettoyage plus en profondeur, vous pouvez frotter la grille en utilisant un mélange composé de bicarbonate de soude et d'eau.

Fumoir

L'abc du fumage

Cette technique ancestrale servait autrefois de mode de conservation. Or, de nos jours, on l'utilise surtout pour conférer un goût unique aux aliments. Assaisonner et fumer une viande permet aussi de l'attendrir et même de transformer les coupes les moins intéressantes en savoureuses grillades fumées. Plusieurs facteurs peuvent cependant influencer le résultat : le modèle de fumoir, le bois employé, le contrôle de la fumée, etc. **Retenez que l'on devrait toujours se fier à la température interne de la viande pour déterminer si elle est prête, et non à la durée de fumage.** Voici nos conseils !

Planification

Le fumage est un processus de plusieurs heures. Dans le cas du fumage à froid, il se décline généralement en deux cycles : le fumage, d'une durée moyenne de trois heures, pendant lequel il faudra ajouter des copeaux de bois à quelques reprises, ainsi que le séchage, qui peut s'étirer sur une période de 12 heures. À cette étape, les copeaux sont retirés du fumoir. Ainsi, prévoyez beaucoup de temps pour fumer vos aliments !

Avant d'utiliser un fumoir neuf pour la première fois, il faut « assaisonner » le fumoir en l'enfumant à nu pendant 3 à 4 heures à l'aide de charbon ou de bois de fumage : cela permet aussi de tuer les bactéries et d'éliminer les résidus !

Le choix d'un fumoir

Il existe des fumoirs pour tous les besoins et tous les goûts : fumoir au charbon, fumoir électronique, fumoir hybride, fumoir horizontal, etc. Plusieurs facteurs influenceront votre choix, notamment la taille des pièces à fumer, le choix du mode de combustion, le budget, l'espace disponible pour entreposer l'appareil, le type de fumage que vous souhaitez pratiquer (juste du fumage à chaud ou également du fumage à froid ?), etc. Or, l'offre est tellement grande qu'il s'agit de cas par cas. Informez-vous auprès d'un professionnel afin de dénicher un fumoir adapté à vos besoins.

TYPES DE BOIS

Si vous en êtes à vos premières armes en matière de fumage, vaut mieux vous en tenir à une seule essence de bois le temps de vous familiariser avec la technique. Au Québec, l'érable est une essence très populaire : elle génère une saveur douce qui s'accorde particulièrement bien à la volaille et au porc. Certaines essences plus fines, tel le bois d'arbres fruitiers, rehaussent à merveille la chair délicate du poisson et du magret de canard. Des essences au goût plus prononcé (mesquite, hickory, etc.) se font les parfaits compagnons des grosses pièces de viande. Évitez le bois tendre des conifères : il contient de la résine qui donne mauvais goût aux aliments. Pour le fumage à froid, optez pour de la sciure, des copeaux fins ou des granules de grade alimentaire qui produiront le moins de chaleur possible. Pour le fumage à chaud, préférez les morceaux, la sciure ou les copeaux.

Un petit peu de bois à la fois...

Ajoutez quelques copeaux de bois à la fois dans le fumoir afin de mieux contrôler la quantité et la qualité de fumée produite. Commencez par quelques copeaux, puis lorsque ceux-ci seront brûlés, ajoutez-en quelques-uns de plus. Gardez en tête que ce sont les copeaux de bois qui donnent aux aliments un goût de fumée ; il faut donc alimenter le fumoir aussitôt que la fumée s'estompe, et ce, jusqu'à ce que la température interne de la viande atteigne 160 °F (71 °C), puisqu'à ce stade, la viande n'absorbe plus la fumée.

Bois sec ou humide ?

Plusieurs spécialistes du fumage conseillent d'employer du bois sec (de 15 à 20 % d'eau) plutôt qu'un bois vert (60 % d'eau) pour un meilleur résultat. Même si l'humidité du bois permet une combustion plus lente et ainsi la production d'une fumée plus régulière, elle produit aussi de la vapeur qui transporte les impuretés du bois, créant un dépôt (créosote) pouvant nuire au goût de la viande. On mise donc sur du bois sec !

Un max de saveurs !

Même si la saveur de la fumée de bois à elle seule peut parfois suffire à injecter de la saveur aux aliments, il est préférable de tout de même assaisonner la viande, la volaille et le poisson. Notez que pour les pièces qui ont tendance à s'assécher, comme le poulet, vaut mieux employer une marinade. L'assaisonnement peut se faire avant, pendant et après le fumage. Voici différentes méthodes.

Assaisonnement avant le fumage

- **Salage.** On saupoudre du sel sur les aliments ou on enduit ceux-ci pour leur donner du goût, mais aussi pour en extraire l'eau (phénomène appelé « osmose ») et pour les préserver.
- **Saumurage.** On immerge les aliments dans un liquide composé d'eau, de sel et d'aromates. Ainsi, la saveur pénètre mieux la chair des aliments et préserve sa tendreté.
- **Traitement au nitrite et au nitrate.** Ces additifs assurent la conservation des aliments, empêchent la prolifération des bactéries et le botulisme, préservent la couleur des aliments et confèrent de la saveur aux saumures et aux salaisons.
- **Marinade sèche.** Ce type d'assaisonnement à frotter sur les aliments est plus aromatique que salé. Il se compose d'un mélange d'huile, d'un ingrédient acide et d'aromates.
- **Injection.** On injecte un mélange composé de bouillon, de corps gras et d'autres ingrédients au choix dans la chair à l'aide d'une seringue.

Assaisonnement pendant le fumage

- Il suffit d'enduire l'aliment de sauce ou de le vaporiser.

Assaisonnement après le fumage

- On peut simplement accompagner les aliments de sauce ou de condiments.

ENTRETIEN DU FUMOIR

Il n'est pas nécessaire de nettoyer le fumoir entre chaque utilisation: la fumée accumulée dans le fumoir contribue à l'efficacité de l'appareil. Il convient toutefois de déloger les morceaux d'aliments qui pourraient contaminer les prochains aliments. Ainsi, dès que vous avez terminé la fumaison, passez une brosse sur la grille. Pour faciliter le nettoyage des grilles, vous pouvez préalablement les mettre à l'intérieur d'un barbecue réglé à température élevée. Quelques heures plus tard, grattez le dépôt de graisse au fond de la chambre de fumage et videz le récipient à graisse. Voici d'autres gestes à poser:

- Vérifiez régulièrement l'état de l'intérieur du couvercle: des particules pourraient s'y accumuler et contaminer les aliments lors de la prochaine fumaison. Si c'est le cas, grattez la substance à l'aide d'une brosse métallique, puis passez l'aspirateur pour éliminer toutes les particules.
- Chaque année, enlevez les particules qui ont tendance à se décoller des parois du fumoir.

Méthodes de fumage

Les principales techniques de fumage sont le fumage à froid et le fumage à chaud. Pour le **fumage à froid**, les aliments sont fumés à basse température (moins de 30 °C – 85 °F), le but étant de leur conférer une saveur sans les cuire. Il est important de mentionner que pour être propres à la consommation, les aliments fumés à froid doivent toujours avoir été préalablement transformés par une saumure ou une salaison. **Les aliments fumés à chaud**, quant à eux, sont soumis à une température élevée et cuisent sous l'effet de la chaleur.

Fumage au barbecue

Puisque les barbecues sont souvent dotés d'une ouverture à l'arrière d'où la fumée s'échappe, il n'est pas conseillé de fumer ses aliments au barbecue au gaz. Il existe cependant des outils pour donner un goût fumé aux aliments sur le gril: les morceaux de bois à déposer sous la grille, la boîte à fumer ou les sachets d'aluminium dans lesquels on dépose des copeaux de bois.

LA FUMÉE IDÉALE

Gardez en tête qu'un nuage de fumée blanche ou noire, ce n'est pas bon signe! On recherchera plutôt une fumée légère et teintée de bleu, presque invisible. La fumée qui conférera le meilleur goût à vos aliments est celle que vous pouvez à peine distinguer à l'œil nu. On l'obtiendra en disposant bien son bois. Privilégiez aussi les blocs de bois (*chunks*) plutôt que les copeaux.

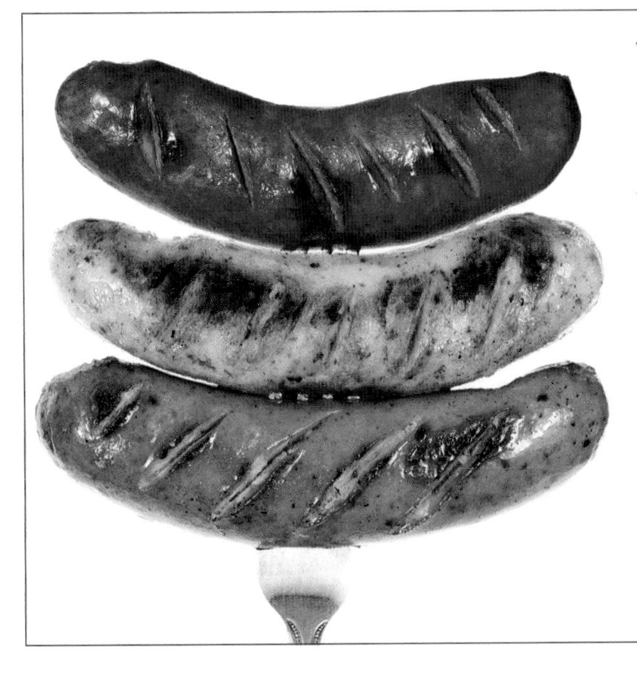

Vrai ou faux. Les nitrites présentent un risque pour la santé.

Vrai. Les nitrites sont employés pour les aliments séchés ou conservés moins de 1 mois, tandis que les nitrates (qui contiennent des nitrites) servent pour les aliments séchés et conservés plus d'un mois. Le hic: une fois dans l'estomac et au contact des protéines, les nitrites se transforment en nitrosamine, laquelle aurait un potentiel cancérigène. La solution? Combiner les nitrites à de l'érythorbate de sodium, un additif dont l'effet est similaire à celui de la vitamine C: il annule les effets secondaires occasionnés par la transformation de nitrites en nitrosamine. On trouve notamment de l'érythorbate de sodium dans les boutiques spécialisées en fumage.

Le poulet à son meilleur

Sans doute parmi les grillades qui font le plus l'unanimité lors des festins sur le gril, le poulet se présente ici sous diverses formes débordantes de saveurs : brochettes sauce aux arachides, ailes de poulet miel et chipotle, poitrines de poulet moutarde et érable, burger sauge et brie, pizza ranch au bacon... Vous apprécierez ces déclinaisons épatantes !

Poitrines de poulet grillées à la salsa de fraises et prunes

Préparation : 20 minutes – **Marinage :** 6 heures – **Cuisson :** 12 minutes
Quantité : 4 portions

PAR PORTION	
Calories	398
Protéines	43 g
Matières grasses	14 g
Glucides	24 g
Fibres	4 g
Fer	2 mg
Calcium	45 mg
Sodium	818 mg

- 4 poitrines de poulet sans peau
- 250 g (environ ½ lb) de fraises équeutées
- 2 prunes rouges
- ½ oignon rouge
- 30 ml (2 c. à soupe) d'huile d'olive
- 30 ml (2 c. à soupe) de coriandre hachée
- 15 ml (1 c. à soupe) de jus de lime
- 15 ml (1 c. à soupe) de miel
- Sel et poivre au goût

Pour la marinade :

- 60 ml (¼ de tasse) d'échalotes sèches (françaises) hachées
- 45 ml (3 c. à soupe) de vin blanc
- 30 ml (2 c. à soupe) d'huile d'olive
- 15 ml (1 c. à soupe) de jus de lime
- 15 ml (1 c. à soupe) de miel
- 15 ml (1 c. à soupe) de grains de coriandre écrasés
- 15 ml (1 c. à soupe) d'assaisonnements pour volaille
- 8 fraises écrasées

—

1. Dans un sac hermétique, déposer les ingrédients de la marinade. Ajouter les poitrines de poulet et secouer pour bien les enrober de marinade. Sceller le sac et laisser mariner de 6 à 8 heures au frais.

2. Au moment de la cuisson, préchauffer le barbecue à puissance moyenne-élevée.

3. Égoutter le poulet et jeter la marinade.

4. Couper les fraises, les prunes et l'oignon rouge en petits dés.

5. Déposer les dés de fruits et d'oignon rouge dans un bol. Ajouter l'huile d'olive, la coriandre, le jus de lime et le miel. Saler, poivrer et remuer. Réserver.

6. Sur la grille chaude et huilée du barbecue, déposer les poitrines de poulet. Fermer le couvercle et cuire de 6 à 8 minutes de chaque côté, jusqu'à ce que l'intérieur de la chair du poulet ait perdu sa teinte rosée. Servir avec la salsa.

—

J'aime avec...

Salade de laitue frisée verte, concombre et avocat

Dans un saladier, fouetter 30 ml (2 c. à soupe) d'huile d'olive avec 30 ml (2 c. à soupe) de jus de lime, 15 ml (1 c. à soupe) de miel et 15 ml (1 c. à soupe) d'assaisonnements italiens. Ajouter 1 laitue frisée verte déchiquetée, 1 avocat émincé et ½ concombre coupé en demi-rondelles. Saler, poivrer et remuer.

Ailes de poulet miel et chipotle

Préparation: 15 minutes – **Marinage:** 8 heures – **Cuisson:** 30 minutes
Quantité: 4 portions

PAR PORTION	
Calories	892
Protéines	70 g
Matières grasses	52 g
Glucides	35 g
Fibres	1 g
Fer	3 mg
Calcium	74 mg
Sodium	1 144 mg

32 ailes de poulet
80 ml (⅓ de tasse) de bière blonde

Pour la sauce miel et chipotle:

125 ml (½ tasse) de sauce barbecue
125 ml (½ tasse) de ketchup
30 ml (2 c. à soupe) de miel
30 ml (2 c. à soupe) de vinaigre de cidre
30 ml (2 c. à soupe) de sauce Worcestershire
15 ml (1 c. à soupe) de paprika
5 ml (1 c. à thé) de chipotle

—

1. Dans un bol, mélanger les ingrédients de la sauce miel et chipotle. Transférer la moitié de la sauce dans un sac hermétique. Réserver la sauce contenue dans le bol au frais.

2. Ajouter les ailes de poulet et la bière dans le sac. Secouer afin de bien enrober la viande de sauce. Retirer l'air du sac et sceller. Laisser mariner au frais 8 heures, idéalement toute une nuit.

3. Au moment de la cuisson, préchauffer le barbecue à puissance moyenne-élevée.

4. Égoutter les ailes de poulet en prenant soin de réserver la marinade.

5. Sur la grille chaude et huilée du barbecue, déposer les ailes de poulet. Fermer le couvercle et cuire de 30 à 35 minutes, en retournant les ailes de poulet régulièrement et en les badigeonnant avec la marinade réservée pendant les 15 premières minutes de cuisson, jusqu'à ce que l'intérieur de la chair du poulet ait perdu sa teinte rosée. Servir avec la sauce réservée à l'étape 1.

—

J'aime avec...

Épis de maïs sur brochettes

Si les brochettes utilisées sont en bambou, les faire tremper dans l'eau environ 30 minutes avant la cuisson. Éplucher 4 épis de maïs et retirer les filaments. Couper les épis en morceaux de 5 cm (2 po) de longueur. Dans un bol, mélanger 30 ml (2 c. à soupe) d'huile d'olive avec 5 ml (1 c. à thé) de chipotle, 5 ml (1 c. à thé) de poudre d'ail, 5 ml (1 c. à thé) de paprika, 5 ml (1 c. à thé) de poudre d'oignons et 2,5 ml (½ c. à thé) de cumin. Saler et poivrer. Ajouter les morceaux de maïs et remuer. Piquer les morceaux de maïs sur des brochettes. Cuire les brochettes sur la grille chaude du barbecue à puissance moyenne-élevée de 8 à 10 minutes, couvercle fermé. Au moment de servir, parsemer de 30 ml (2 c. à soupe) de coriandre hachée.

Poulet rôti sur canette de bière à la sauce barbecue

PAR PORTION	
Calories	841
Protéines	49 g
Matières grasses	50 g
Glucides	5 g
Fibres	0 g
Fer	3 mg
Calcium	45 mg
Sodium	821 mg

Préparation : 30 minutes – **Cuisson :** 1 heure 15 minutes – **Quantité :** 4 portions

1 poulet entier de 1,5 kg (3 ⅓ lb)
250 ml (1 tasse) de sauce barbecue à l'érable
2,5 ml (½ c. à thé) de poudre de chili
2,5 ml (½ c. à thé) de poudre d'oignons
2,5 ml (½ c. à thé) de poudre d'ail
2,5 ml (½ c. à thé) de romarin séché
60 ml (¼ de tasse) de beurre fondu
1 canette de bière blonde de 355 ml
2 gousses d'ail
1 tige de thym
Sel et poivre au goût

—

1. Éponger le poulet à l'aide de papier absorbant. Retirer le surplus de gras du cou et de la cavité ventrale.

2. Placer un plateau en aluminium sous la grille du barbecue afin de recueillir le jus et le gras de cuisson. Verser un peu d'eau dans le plateau. Préchauffer le barbecue à puissance moyenne-élevée.

3. Dans un bol, mélanger la sauce barbecue avec les poudres de chili, d'oignons et d'ail ainsi que le romarin séché. Verser le tiers de la sauce dans un autre bol et y incorporer le beurre. Réserver le reste de la sauce au frais.

4. Verser la moitié de la bière dans le contenant prévu pour la cuisson sur canette. Ajouter les gousses d'ail, la tige de thym, le sel et le poivre.

5. Glisser l'ouverture de la cavité du poulet sur le contenant, jusqu'à ce que ce dernier soit inséré à moitié. Au besoin, étirer les pattes du poulet afin qu'il se maintienne en équilibre à la verticale. Placer les ailes derrière le dos.

6. Badigeonner la surface du poulet avec la préparation au beurre.

7. Éteindre l'un des brûleurs du barbecue et déposer le poulet à la verticale sur la grille du côté du brûleur éteint, au-dessus du plateau en aluminium, pour une cuisson indirecte. Fermer le couvercle et cuire de 1 heure 15 minutes à 1 heure 30 minutes, jusqu'à ce que la température interne du poulet atteigne 85 °C (185 °F) sur un thermomètre à cuisson inséré dans la partie charnue de la cuisse (ne pas toucher l'os).

8. Verser le reste de la bière dans une casserole et incorporer la sauce réservée à l'étape 3. Porter à ébullition, puis laisser mijoter de 2 à 3 minutes. Servir avec le poulet.

—

PAR PORTION	
Calories	722
Protéines	42 g
Matières grasses	43 g
Glucides	48 g
Fibres	12 g
Fer	3 mg
Calcium	69 mg
Sodium	226 mg

Salade de quinoa style *poke bowl*

Préparation : 20 minutes – **Marinage** : 8 heures – **Cuisson** : 16 minutes – **Quantité** : 4 portions

4 poitrines de poulet sans peau
4 tranches d'ananas
60 ml (¼ de tasse) d'huile d'olive
30 ml (2 c. à soupe) de coriandre hachée
375 ml (1 ½ tasse) de quinoa cuit
2 avocats coupés en quartiers
12 tomates cerises coupées en quartiers
80 ml (⅓ de tasse) de noix de Grenoble hachées

Pour la marinade :

125 ml (½ tasse) de jus d'ananas
30 ml (2 c. à soupe) de miel
30 ml (2 c. à soupe) de jus de lime
15 ml (1 c. à soupe) d'huile d'olive
15 ml (1 c. à soupe) de zestes de lime
15 ml (1 c. à soupe) d'ail haché
15 ml (1 c. à soupe) de sauce soya
3 oignons verts hachés
Sel et poivre au goût

—

1. Dans un bol, mélanger les ingrédients de la marinade. Transvider la moitié de la marinade dans un sac hermétique et y ajouter les poitrines de poulet. Secouer pour bien enrober les poitrines de marinade. Retirer l'air du sac et sceller. Laisser mariner de 8 à 12 heures au frais. Réserver le reste de la marinade au frais.

2. Au moment de la cuisson, préchauffer le barbecue à puissance moyenne-élevée.

3. Égoutter les poitrines et jeter la marinade.

4. Sur la grille chaude et huilée du barbecue, déposer les poitrines. Fermer le couvercle et cuire de 16 à 18 minutes, en retournant les poitrines plusieurs fois, jusqu'à ce que l'intérieur de la chair du poulet ait perdu sa teinte rosée.

5. Sur la grille chaude et huilée, faire griller les tranches d'ananas 1 minute de chaque côté.

6. Émincer les poitrines de poulet et couper les tranches d'ananas en morceaux.

7. Incorporer l'huile et la coriandre à la marinade réservée.

8. Dans quatre bols, répartir le quinoa cuit. Répartir séparément les avocats, les tomates cerises, l'ananas et le poulet dans le bol. Napper de vinaigrette et parsemer de noix de Grenoble.

—

PAR PORTION	
Calories	629
Protéines	50 g
Matières grasses	40 g
Glucides	15 g
Fibres	4 g
Fer	7 mg
Calcium	118 mg
Sodium	296 mg

Poulet espagnol en crapaudine, sauce menthe et lime

Préparation : 15 minutes – **Marinage :** 30 minutes – **Cuisson :** 1 heure 15 minutes – **Quantité :** 4 portions

- 1 poulet entier de 1,5 kg (3 ⅓ lb)
- Sel et poivre au goût
- 30 ml (2 c. à soupe) de cassonade
- 30 ml (2 c. à soupe) de paprika
- 7,5 ml (½ c. à soupe) de cumin
- 7,5 ml (½ c. à soupe) de moutarde en poudre
- 7,5 ml (½ c. à soupe) de grains de fenouil

Pour la sauce menthe et lime :

- 250 ml (1 tasse) de feuilles de persil
- 160 ml (⅔ de tasse) de feuilles de menthe
- 15 ml (1 c. à soupe) d'ail haché
- 15 ml (1 c. à soupe) de miel
- 15 ml (1 c. à soupe) de moutarde de Dijon
- 10 ml (2 c. à thé) de jus de lime
- 10 ml (2 c. à thé) de zestes de lime
- 1 petit jalapeño épépiné et haché (facultatif)
- 125 ml (½ tasse) d'huile d'olive
- Sel au goût

—

1. Couper le poulet sur toute la longueur du dos. Ouvrir le poulet en deux. Placer les poitrines vers le haut et appuyer pour aplatir le poulet (le boucher peut faire cette étape). Saler et poivrer.

2. Dans un bol, mélanger la cassonade avec le paprika, le cumin, la moutarde en poudre et les grains de fenouil. Frotter le poulet avec la marinade sèche. Laisser mariner au frais de 30 minutes à 8 heures.

3. Au moment de la cuisson, préchauffer le barbecue à puissance moyenne-élevée.

4. Éteindre l'un des brûleurs du barbecue. Déposer le poulet sur la grille chaude et huilée du barbecue du côté du brûleur éteint pour une cuisson indirecte. Fermer le couvercle et cuire de 1 heure 15 minutes à 1 heure 30 minutes, en retournant le poulet de temps en temps, jusqu'à ce qu'un thermomètre inséré au centre de la cuisse (sans toucher l'os) indique 82 °C (180 °F).

5. Dans un bol, mélanger les ingrédients de la sauce, à l'exception de l'huile et du sel. À l'aide du mélangeur-plongeur, réduire la préparation en purée lisse en incorporant l'huile d'olive en filet. Saler. Servir avec le poulet.

—

PAR PORTION	
Calories	425
Protéines	42 g
Matières grasses	17 g
Glucides	31 g
Fibres	5 g
Fer	2 mg
Calcium	44 mg
Sodium	710 mg

Brochettes de poulet aux nectarines, sauce aux arachides

Préparation: 15 minutes – **Marinage**: 6 heures – **Cuisson**: 12 minutes – **Quantité**: 4 portions

- 4 poitrines de poulet sans peau coupées en cubes
- 3 nectarines coupées en quartiers
- 2 petites courgettes coupées en rondelles
- 3 demi-poivrons de couleurs variées coupés en cubes
- 2 limes coupées en quartiers

Pour la marinade:

- 80 ml (⅓ de tasse) de beurre d'arachide crémeux
- 60 ml (¼ de tasse) de sauce soya réduite en sodium
- 30 ml (2 c. à soupe) de coriandre hachée
- 30 ml (2 c. à soupe) de jus de lime
- 15 ml (1 c. à soupe) d'huile d'olive
- 15 ml (1 c. à soupe) de miel
- 2,5 ml (½ c. à thé) de flocons de piment

—

1. Dans un bol, mélanger les ingrédients de la marinade. Transvider la moitié de la marinade dans un autre bol. Réserver au frais.

2. Ajouter les cubes de poulet, les nectarines, les courgettes et les poivrons dans le premier bol. Remuer pour bien enrober les aliments de marinade. Couvrir et laisser mariner de 6 à 8 heures au frais.

3. Si les brochettes utilisées sont en bambou, les faire tremper dans l'eau environ 30 minutes avant la cuisson.

4. Au moment de la cuisson, préchauffer le barbecue à puissance moyenne-élevée.

5. Égoutter le poulet, les légumes et les nectarines. Jeter la marinade.

6. Piquer les cubes de poulet, les nectarines, les courgettes et les poivrons sur des brochettes en les faisant alterner.

7. Sur la grille chaude et huilée du barbecue, déposer les brochettes. Fermer le couvercle et cuire de 12 à 14 minutes, en retournant les brochettes plusieurs fois et en les badigeonnant de la marinade réservée durant les dernières minutes de cuisson, jusqu'à ce que l'intérieur de la chair du poulet ait perdu sa teinte rosée. Servir avec les quartiers de lime.

—

PAR PORTION	
Calories	404
Protéines	41 g
Matières grasses	4 g
Glucides	46 g
Fibres	0 g
Fer	2 mg
Calcium	91 mg
Sodium	498 mg

Poitrines de poulet moutarde et érable

Préparation: 15 minutes – **Marinage**: 15 minutes – **Cuisson**: 25 minutes – **Quantité**: 4 portions

4 poitrines de poulet sans peau

Pour la marinade:

180 ml (¾ de tasse) de sirop d'érable

80 ml (⅓ de tasse) de vinaigre balsamique

30 ml (2 c. à soupe) de moutarde de Dijon

30 ml (2 c. à soupe) de moutarde à l'ancienne

15 ml (1 c. à soupe) de sauce Worcestershire

15 ml (1 c. à soupe) d'ail haché

10 ml (2 c. à thé) de thym haché

—

1. Dans un sac hermétique, déposer les ingrédients de la marinade. Secouer. Ajouter les poitrines de poulet et secouer de nouveau pour enrober le poulet de marinade. Retirer l'air du sac et sceller. Laisser mariner de 15 minutes à 8 heures au frais.

2. Au moment de la cuisson, préchauffer le barbecue à puissance moyenne-élevée.

3. Égoutter les poitrines de poulet au-dessus d'une casserole afin de récupérer la marinade.

4. Porter la marinade à ébullition, puis laisser mijoter de 10 à 12 minutes à feu doux.

5. Sur la grille chaude et huilée du barbecue, déposer les poitrines de poulet. Fermer le couvercle et cuire de 15 à 18 minutes en retournant les poitrines de temps en temps et en les badigeonnant de marinade de temps en temps dans la dernière moitié de la cuisson, jusqu'à ce que l'intérieur de la chair du poulet ait perdu sa teinte rosée.

—

PAR PORTION	
Calories	511
Protéines	33 g
Matières grasses	28 g
Glucides	35 g
Fibres	3 g
Fer	4 mg
Calcium	101 mg
Sodium	826 mg

Cuisses de poulet marinées aux agrumes

Préparation: 20 minutes – **Marinage**: 8 heures – **Cuisson**: 47 minutes – **Quantité**: 4 portions

4	cuisses de poulet avec peau
1	orange coupée en rondelles fines
1	citron coupé en rondelles fines

Pour la marinade:

250 ml	(1 tasse) de jus d'orange
45 ml	(3 c. à soupe) de mélasse
45 ml	(3 c. à soupe) de sauce soya
45 ml	(3 c. à soupe) de cassonade
45 ml	(3 c. à soupe) de jus de citron
30 ml	(2 c. à soupe) d'huile d'olive
15 ml	(1 c. à soupe) de paprika
2,5 ml	(½ c. à thé) de cumin
	Sel et poivre au goût

—

1. Dans un bol, mélanger les ingrédients de la marinade.

2. Déposer les cuisses de poulet dans un grand sac hermétique. Verser la marinade sur le poulet et sceller le sac. Secouer afin d'enrober le poulet de marinade. Laisser mariner 8 heures au frais, idéalement 12 heures.

3. Au moment de la cuisson, préchauffer le barbecue à puissance moyenne-élevée.

4. Égoutter le poulet au-dessus d'une casserole afin de récupérer la marinade. Porter la marinade à ébullition, puis laisser mijoter 10 minutes à feu doux.

5. Sur la grille chaude et huilée du barbecue, saisir les cuisses de poulet 1 minute de chaque côté.

6. Éteindre l'un des brûleurs du barbecue. Déposer les cuisses sur la grille chaude du côté du brûleur éteint pour une cuisson indirecte. Fermer le couvercle et cuire de 35 à 40 minutes, en badigeonnant quelques fois les cuisses de marinade et en les retournant à mi-cuisson, jusqu'à ce la chair du poulet se détache facilement de l'os et que l'intérieur de la chair ait perdu sa teinte rosée.

7. Servir les cuisses avec les rondelles d'agrumes.

—

PAR PORTION	
Calories	780
Protéines	37 g
Matières grasses	37 g
Glucides	73 g
Fibres	4 g
Fer	6 mg
Calcium	287 mg
Sodium	1 234 mg

Pizza ranch au poulet et bacon

Préparation : 15 minutes – **Cuisson** : 9 minutes – **Quantité** : 4 portions (2 pizzas de 25 cm – 10 po)

2	boules de pâte à pizza de 255 g (environ ½ lb) chacune
160 ml	(⅔ de tasse) de vinaigrette ranch
2	poitrines de poulet sans peau cuites et émincées
4	tranches de bacon précuit coupées en morceaux
½	oignon rouge coupé en rondelles
2	tomates coupées en quartiers
375 ml	(1 ½ tasse) de mozzarella râpée
	Poivre au goût
30 ml	(2 c. à soupe) de persil haché

—

1. Préchauffer le barbecue à puissance moyenne-élevée.

2. Sur une surface farinée, étirer chaque boule de pâte en un cercle de 25 cm (10 po) de diamètre. Déposer chaque cercle de pâte sur une plaque de cuisson légèrement huilée.

3. Garnir les pâtes de vinaigrette ranch, de lanières de poulet, de bacon, d'oignon rouge et de tomates. Parsemer de mozzarella. Poivrer.

4. Déposer les plaques de cuisson sur la grille chaude du barbecue. Fermer le couvercle et cuire de 8 à 10 minutes, jusqu'à ce que la pâte soit ferme et que le fromage soit fondu.

5. À l'aide d'une large spatule, déposer les pizzas directement sur la grille. Cuire de 1 à 2 minutes, jusqu'à ce que le dessous des pizzas soit légèrement grillé.

6. Au moment de servir, garnir de persil.

—

PAR PORTION	
Calories	203
Protéines	34 g
Matières grasses	4 g
Glucides	5 g
Fibres	0 g
Fer	1 mg
Calcium	23 mg
Sodium	94 mg

Poitrines de poulet marinées à la bière

Préparation: 20 minutes – **Marinage**: 8 heures – **Cuisson**: 16 minutes – **Quantité**: 4 portions

4 poitrines de poulet sans peau

Pour la marinade:

180 ml (¾ de tasse) de bière blonde

30 ml (2 c. à soupe) de sirop d'érable

15 ml (1 c. à soupe) de mélasse

15 ml (1 c. à soupe) d'ail haché

15 ml (1 c. à soupe) de moutarde de Dijon

3 tiges de thym hachées

3 tiges d'origan

1 oignon haché

Sel et poivre au goût

—

1. Dans un bol, mélanger les ingrédients de la marinade. Transvider dans un sac hermétique et y ajouter les poitrines de poulet. Sceller le sac et secouer pour bien enrober les poitrines de marinade. Laisser mariner de 8 à 12 heures au frais.

2. Au moment de la cuisson, préchauffer le barbecue à puissance moyenne-élevée.

3. Égoutter les poitrines et jeter la marinade.

4. Sur la grille chaude et huilée du barbecue, déposer les poitrines. Fermer le couvercle et cuire de 16 à 18 minutes, en retournant les poitrines plusieurs fois, jusqu'à ce que l'intérieur de la chair du poulet ait perdu sa teinte rosée.

—

PAR PORTION	
Calories	551
Protéines	47 g
Matières grasses	15 g
Glucides	54 g
Fibres	3 g
Fer	3 mg
Calcium	121 mg
Sodium	1 406 mg

Burgers au poulet, sauge et brie

Préparation: 20 minutes – **Marinage**: 15 minutes – **Cuisson**: 8 minutes – **Quantité**: 4 portions

3	poitrines de poulet sans peau
250 ml	(1 tasse) de sauce barbecue à l'érable
30 ml	(2 c. à soupe) d'huile d'olive
60 ml	(¼ de tasse) d'échalotes sèches (françaises) hachées
10 ml	(2 c. à thé) d'ail haché
30 ml	(2 c. à soupe) de sauge hachée
10 ml	(2 c. à thé) de sarriette hachée
15 ml	(1 c. à soupe) d'assaisonnements pour poulet
125 ml	(½ tasse) de bière blonde
4	pains ciabatta
100 g	(3 ½ oz) de brie coupé en quatre tranches
500 ml	(2 tasses) de mâche
2	tomates émincées
½	oignon rouge coupé en fines rondelles

—

1. Couper les poitrines de poulet en quatre sur l'épaisseur.

2. Dans un bol, mélanger la sauce barbecue avec l'huile, les échalotes, l'ail, les fines herbes et les assaisonnements pour poulet. Transvider la moitié de la préparation dans un sac hermétique, puis y ajouter la bière et le poulet. Secouer pour enrober le poulet de marinade. Sceller et laisser mariner 15 minutes au frais. Réserver le reste de la marinade au frais.

3. Au moment de la cuisson, préchauffer le barbecue à puissance moyenne-élevée.

4. Égoutter le poulet et jeter la marinade.

5. Sur la grille chaude et huilée du barbecue, déposer le poulet. Fermer le couvercle et cuire le poulet de 8 à 10 minutes, en le retournant de temps en temps, jusqu'à ce que l'intérieur de la chair ait perdu sa teinte rosée.

6. Ouvrir les pains en deux et les faire griller 1 minute sur la grille supérieure du barbecue.

7. Garnir chaque pain de la marinade réservée à l'étape 2, de trois morceaux de poulet, de brie, de mâche, de tomates et d'oignon rouge.

—

PAR PORTION	
Calories	638
Protéines	35 g
Matières grasses	53 g
Glucides	4 g
Fibres	1 g
Fer	3 mg
Calcium	35 mg
Sodium	165 mg

Pilons de poulet piri-piri

Préparation: 15 minutes – **Marinage:** 1 heure – **Cuisson:** 20 minutes – **Quantité:** 4 portions

12 pilons de poulet

Pour la marinade:

- 125 ml (½ tasse) d'huile d'olive
- 15 ml (1 c. à soupe) de zestes de citron
- 15 ml (1 c. à soupe) de vinaigre de vin rouge
- 15 ml (1 c. à soupe) de paprika
- 15 ml (1 c. à soupe) d'ail haché
- 2 piments thaï hachés

—

1. Dans un bol, mélanger les ingrédients de la marinade.

2. Transférer le tiers de la marinade dans un sac hermétique et réserver le reste au frais. Ajouter les pilons dans le sac et secouer pour bien enrober le poulet de marinade. Sceller le sac et laisser mariner 1 heure au frais, idéalement 8 heures.

3. Au moment de la cuisson, préchauffer le barbecue à puissance moyenne-élevée.

4. Égoutter les pilons de poulet et jeter la marinade.

5. Sur la grille chaude et huilée du barbecue, déposer les pilons. Fermer le couvercle et cuire de 20 à 25 minutes, en retournant les pilons à mi-cuisson et en les badigeonnant de la marinade réservée, jusqu'à ce que la chair se détache de l'os.

—

PAR PORTION	
Calories	306
Protéines	41 g
Matières grasses	12 g
Glucides	7 g
Fibres	1 g
Fer	1 mg
Calcium	173 mg
Sodium	200 mg

Poitrines de poulet farcies à l'italienne

Préparation: 20 minutes – **Cuisson**: 15 minutes – **Quantité**: 4 portions

½	petite courgette verte
½	petite courgette jaune
1	petit oignon rouge
1	tomate italienne
1	boule de mozzarella fraîche de 150 g (⅓ de lb)
4	poitrines de poulet sans peau
15 ml	(1 c. à soupe) d'assaisonnements italiens
	Sel et poivre au goût

—

1. Préchauffer le barbecue à puissance moyenne-élevée.

2. À l'aide d'une mandoline, couper les courgettes et l'oignon rouge en huit rondelles. Couper les rondelles en deux. Couper la tomate et la mozzarella en huit tranches, puis couper chaque tranche en deux.

3. Dans chaque poitrine, faire quatre incisions, sans la trancher complètement. Dans chaque incision, insérer une tranche de tomate, de courgette verte, de courgette jaune, d'oignon rouge et de mozzarella.

4. Déposer les poitrines dans un plateau d'aluminium. Assaisonner avec les assaisonnements italiens. Saler et poivrer.

5. Sur la grille chaude du barbecue, déposer le plateau. Fermer le couvercle et cuire les poitrines de poulet de 15 à 18 minutes, sans les retourner, jusqu'à ce que l'intérieur de la chair du poulet ait perdu sa teinte rosée.

—

PAR PORTION	
Calories	559
Protéines	49 g
Matières grasses	35 g
Glucides	12 g
Fibres	2 g
Fer	2 mg
Calcium	636 mg
Sodium	850 mg

Salade de poulet, mangue et halloumi grillé

Préparation: 20 minutes – **Marinage**: 8 heures – **Cuisson**: 16 minutes – **Quantité**: 4 portions

4	poitrines de poulet sans peau
250 g	(environ ½ lb) de halloumi (fromage à griller de type Doré-mi) coupé en tranches
1	mangue coupée en quartiers
60 ml	(¼ de tasse) d'huile d'olive
15 ml	(1 c. à soupe) de vinaigre de cidre
30 ml	(2 c. à soupe) de basilic émincé
30 ml	(2 c. à soupe) de persil haché
15 ml	(1 c. à soupe) de moutarde à l'ancienne
	Sel et poivre au goût
750 ml	(3 tasses) de mélange de laitues printanier

Pour la marinade:

80 ml	(⅓ de tasse) de vin blanc
30 ml	(2 c. à soupe) de jus de citron
15 ml	(1 c. à soupe) de thym haché
15 ml	(1 c. à soupe) d'huile d'olive
15 ml	(1 c. à soupe) de miel
	Sel et poivre au goût

—

1. Dans un bol, mélanger les ingrédients de la marinade. Transvider dans un sac hermétique et y ajouter les poitrines de poulet. Sceller le sac et secouer pour bien enrober les poitrines de marinade. Laisser mariner de 8 à 12 heures au frais.

2. Au moment de la cuisson, préchauffer le barbecue à puissance moyenne-élevée.

3. Égoutter les poitrines et jeter la marinade.

4. Sur la grille chaude et huilée du barbecue, déposer les poitrines. Fermer le couvercle et cuire de 16 à 18 minutes, en retournant les poitrines plusieurs fois, jusqu'à ce que l'intérieur de la chair du poulet ait perdu sa teinte rosée. Retirer du barbecue et laisser tiédir avant de trancher.

5. Sur la grille chaude et huilée, cuire les tranches de halloumi et les quartiers de mangue 1 minute de chaque côté.

6. Dans un saladier, mélanger l'huile avec le vinaigre, les fines herbes et la moutarde. Saler et poivrer. Ajouter le mélange de laitues et remuer.

7. Répartir la salade dans les assiettes. Garnir de poulet, de mangue et de halloumi.

—

PAR PORTION	
Calories	249
Protéines	35 g
Matières grasses	6 g
Glucides	13 g
Fibres	2 g
Fer	2 mg
Calcium	42 mg
Sodium	92 mg

Brochettes de poulet et légumes

Préparation : 20 minutes – **Marinage** : 3 heures – **Cuisson** : 12 minutes – **Quantité** : 4 portions

4 poitrines de poulet sans peau coupées en cubes
8 feuilles de laurier
3 demi-poivrons de couleurs variées coupés en cubes
1 petit oignon rouge coupé en cubes
1 citron coupé en quartiers

Pour la marinade :

125 ml (½ tasse) de cidre
60 ml (¼ de tasse) d'échalotes sèches (françaises) hachées
30 ml (2 c. à soupe) d'huile d'olive
15 ml (1 c. à soupe) de moutarde à l'ancienne
15 ml (1 c. à soupe) d'origan haché
15 ml (1 c. à soupe) de zestes de citron
15 ml (1 c. à soupe) d'ail haché
15 ml (1 c. à soupe) de cassonade
1 tige de romarin
Sel et poivre au goût

—

1. Dans un bol, mélanger les ingrédients de la marinade. Transvider la marinade dans un sac hermétique et y ajouter les cubes de poulet. Sceller le sac et secouer pour bien enrober le poulet de marinade. Laisser mariner de 3 à 6 heures au frais.

2. Si les brochettes utilisées sont en bambou, les faire tremper dans l'eau environ 30 minutes avant la cuisson.

3. Au moment de la cuisson, préchauffer le barbecue à puissance moyenne-élevée.

4. Égoutter les cubes de poulet et jeter la marinade.

5. Piquer les cubes de poulet, les feuilles de laurier ainsi que les cubes de poivrons et d'oignon rouge sur les brochettes, en les faisant alterner.

6. Sur la grille chaude et huilée du barbecue, déposer les brochettes. Fermer le couvercle et cuire de 12 à 15 minutes, en retournant les brochettes plusieurs fois, jusqu'à ce que l'intérieur de la chair du poulet ait perdu sa teinte rosée. Servir avec les quartiers de citron.

—

Le porc à toutes les sauces

Un filet de porc grillé à la chair fondante et bien parfumée : miam ! Cette protéine polyvalente est la vedette de bien des mets à succès du barbecue : côtes levées, saucisses, filets de porc caramélisés, souvlakis... On serait fous de se passer de cette section où le porc se dévoile en version grillée et gourmande !

Filet de porc à la marinade sèche

PAR PORTION	
Calories	198
Protéines	38 g
Matières grasses	3 g
Glucides	4 g
Fibres	1 g
Fer	3 mg
Calcium	24 mg
Sodium	244 mg

Préparation: 30 minutes – **Marinage:** 6 heures – **Cuisson:** 20 minutes
Temps de repos: 8 minutes – **Quantité:** 4 portions

1 filet de porc de 675 g (environ 1 ½ lb)

Pour la marinade sèche:

- 15 ml (1 c. à soupe) de cassonade
- 15 ml (1 c. à soupe) de paprika
- 5 ml (1 c. à thé) de cumin
- 5 ml (1 c. à thé) coriandre moulue
- 1,25 ml (¼ de c. à thé) de poivre de la Jamaïque (quatre-épices)
- 1,25 ml (¼ de c. à thé) de sel
- 1,25 ml (¼ de c. à thé) de piment coréen ou de piment d'Espelette

—

1. Dans un bol, mélanger les ingrédients de la marinade sèche.

2. Parer le filet de porc en retirant la membrane blanche. Frotter le filet de porc avec la marinade sèche. Laisser mariner de 6 à 8 heures au frais.

3. Au moment de la cuisson, préchauffer le barbecue à puissance moyenne-élevée.

4. Sur la grille chaude et huilée du barbecue, déposer le filet de porc. Fermer le couvercle et cuire de 20 à 25 minutes en retournant le filet de porc régulièrement.

5. Retirer le filet de porc du barbecue et le déposer dans une assiette. Couvrir d'une feuille de papier d'aluminium, sans serrer. Laisser reposer 8 minutes avant de trancher.

—

Salsa tropicale

Dans un bol, mélanger 30 ml (2 c. à soupe) d'huile d'olive avec 15 ml (1 c. à soupe) de zestes de lime, 15 ml (1 c. à soupe) de sucre de canne, 30 ml (2 c. à soupe) de coriandre hachée, 45 ml (3 c. à soupe) de noix de coco sucrée râpée, 2 oignons verts hachés et 2 pincées de piment de Cayenne. Saler. Ajouter 125 ml (½ tasse) d'ananas coupé en dés, 125 ml (½ tasse) de mangue coupée en dés et 125 ml (½ tasse) de papaye coupée en dés. Remuer.

Filet de porc caramélisé

Préparation : 30 minutes – **Marinage :** 6 heures – **Cuisson :** 20 minutes
Temps de repos : 8 minutes – **Quantité :** 4 portions

PAR PORTION	
Calories	310
Protéines	38 g
Matières grasses	3 g
Glucides	32 g
Fibres	1 g
Fer	3 mg
Calcium	47 mg
Sodium	485 mg

1 filet de porc de 675 g (environ 1 ½ lb)

Pour la marinade :

125 ml (½ tasse) de cassonade
80 ml (⅓ de tasse) de sauce barbecue
15 ml (1 c. à soupe) de paprika fumé doux
15 ml (1 c. à soupe) de gingembre moulu
15 ml (1 c. à soupe) de mélasse
15 ml (1 c. à soupe) d'ail haché
2,5 ml (½ c. à thé) de poivre noir italien broyé ou de poivre du moulin
1,25 ml (¼ de c. à thé) de sel

—

1. Dans un bol, mélanger les ingrédients de la marinade. Prélever le tiers de la marinade et la verser dans un sac hermétique. Réserver le reste de la marinade au frais.

2. Ajouter le filet de porc dans le sac, puis secouer pour bien l'enrober de marinade. Sceller le sac et laisser mariner de 6 à 8 heures au frais.

3. Au moment de la cuisson, préchauffer le barbecue à puissance moyenne-élevée.

4. Égoutter le filet de porc et jeter la marinade.

5. Sur la grille chaude et huilée du barbecue, déposer le filet de porc. Fermer le couvercle et cuire de 20 à 25 minutes, en retournant le filet de porc quelques fois et en le badigeonnant de la marinade réservée à l'étape 1 pendant les 10 premières minutes de cuisson.

6. Retirer le filet de porc du barbecue et le déposer dans une assiette. Couvrir d'une feuille de papier d'aluminium, sans serrer. Laisser reposer 8 minutes avant de trancher.

—

Salade de chou aux poires et radis

Dans un saladier, mélanger 60 ml (¼ de tasse) de mayonnaise avec 15 ml (1 c. à soupe) de moutarde à l'ancienne, 60 ml (¼ de tasse) de jus d'orange, 45 ml (3 c. à soupe) de persil haché, 30 ml (2 c. à soupe) de miel et 30 ml (2 c. à soupe) de menthe hachée. Saler et poivrer. Ajouter ½ chou vert émincé finement ainsi que 2 poires et 8 radis tranchés finement. Remuer.

Côtelettes de porc grillées à l'asiatique

Préparation : 15 minutes – **Marinage :** 2 heures – **Cuisson :** 4 minutes
Quantité : 4 portions

PAR PORTION	
Calories	322
Protéines	47 g
Matières grasses	11 g
Glucides	7 g
Fibres	0 g
Fer	2 mg
Calcium	32 mg
Sodium	491 mg

80 ml (⅓ de tasse) de miel
45 ml (3 c. à soupe) de sauce de poisson
30 ml (2 c. à soupe) de sauce soya
30 ml (2 c. à soupe) de jus de lime
15 ml (1 c. à soupe) d'ail haché
30 ml (2 c. à soupe) d'huile d'olive
8 petites côtelettes de porc de 1 cm (½ po) d'épaisseur

—

1. Dans un plat profond, mélanger le miel avec la sauce de poisson, la sauce soya, le jus de lime, l'ail et l'huile d'olive.

2. Ajouter les côtelettes de porc dans le plat. Remuer pour bien enrober les côtelettes de marinade. Couvrir et laisser mariner de 2 à 12 heures au frais.

3. Au moment de la cuisson, préchauffer le barbecue à puissance moyenne-élevée.

4. Égoutter les côtelettes de porc et jeter la marinade.

5. Sur la grille chaude et huilée du barbecue, déposer les côtelettes. Fermer le couvercle et cuire les côtelettes 2 minutes de chaque côté.

—

Vermicelles de riz à la lime et coriandre

Réhydrater ½ paquet de vermicelles de riz de 300 g selon les indications de l'emballage. Égoutter. Dans une grande poêle ou dans un wok, chauffer 15 ml (1 c. à soupe) d'huile de sésame (non grillé) à feu moyen. Cuire ½ oignon haché et 1 carotte taillée en julienne de 2 à 3 minutes. Ajouter les vermicelles, 30 ml (2 c. à soupe) de feuilles de coriandre, 15 ml (1 c. à soupe) de jus de lime et 10 ml (2 c. à thé) de miel. Saler, poivrer et remuer.

Filet de porc sur planche de cèdre

Préparation: 30 minutes – **Marinage**: 8 heures – **Cuisson**: 30 minutes
Quantité: 4 portions

PAR PORTION	
Calories	215
Protéines	38 g
Matières grasses	4 g
Glucides	2 g
Fibres	0 g
Fer	2 mg
Calcium	15 mg
Sodium	105 mg

1 filet de porc de 675 g (environ 1 ½ lb)
Sel et poivre au goût

Pour la marinade:

60 ml (¼ de tasse) de whisky
30 ml (2 c. à soupe) d'huile d'olive
15 ml (1 c. à soupe) de paprika fumé doux
15 ml (1 c. à soupe) d'ail haché
15 ml (1 c. à soupe) de moutarde de Dijon
15 ml (1 c. à soupe) de miel
1 tige de thym
1 tige de romarin
1 oignon haché
Sel et poivre au goût

Prévoir aussi:

1 planche de cèdre ou d'érable

—

1. Dans un bol, mélanger les ingrédients de la marinade.

2. Parer le filet de porc en retirant la membrane blanche.

3. Transférer la marinade dans un sac hermétique et ajouter le filet de porc. Secouer pour bien l'enrober de marinade. Retirer l'air du sac et sceller. Laisser mariner au frais de 8 à 12 heures.

4. Environ 2 heures avant la cuisson, faire tremper la planche de cèdre dans un récipient rempli d'eau, en la maintenant immergée à l'aide d'un poids.

5. Au moment de la cuisson, préchauffer le barbecue à puissance moyenne.

6. Égoutter le filet de porc et jeter la marinade. Égoutter et assécher légèrement la planche avec un linge. Saler et poivrer le filet de porc.

7. Sur la grille chaude et huilée du barbecue, déposer le filet de porc. Fermer le couvercle et cuire 2 minutes de chaque côté.

8. Retirer le filet de porc du barbecue et le déposer sur la planche. Déposer la planche sur la grille chaude du barbecue et fermer le couvercle. Cuire de 25 à 30 minutes.

9. Retirer le filet de porc du barbecue et le couvrir d'une feuille de papier d'aluminium, sans serrer. Laisser reposer de 5 à 8 minutes avant de trancher. Si désiré, servir avec la sauce barbecue fumée au bourbon (voir recette ci-dessous).

—

J'aime avec...

Sauce barbecue fumée au bourbon

Dans une casserole, chauffer 15 ml (1 c. à soupe) d'huile d'olive à feu moyen. Cuire 1 oignon haché et 15 ml (1 c. à soupe) d'ail haché 1 minute. Ajouter 60 ml (¼ de tasse) de sirop d'érable, 60 ml (¼ de tasse) de bourbon, 125 ml (½ tasse) de ketchup, 15 ml (1 c. à soupe) de vinaigre de cidre, 15 ml (1 c. à soupe) de sauce Worcestershire, 15 ml (1 c. à soupe) de paprika, 1 boîte de tomates en dés de 540 ml et 1,25 ml (¼ de c. à thé) de fumée liquide. Porter à ébullition, puis laisser mijoter à feu doux-moyen de 15 à 18 minutes. À l'aide du mélangeur-plongeur, émulsionner la préparation jusqu'à l'obtention d'une sauce lisse.

PAR PORTION	
Calories	206
Protéines	27 g
Matières grasses	2 g
Glucides	16 g
Fibres	2 g
Fer	2 mg
Calcium	39 mg
Sodium	321 mg

Brochettes de porc à l'érable et vin rouge

Préparation : 15 minutes – **Marinage** : 15 minutes – **Cuisson** : 6 minutes – **Quantité** : 4 portions

500 ml	(2 tasses) de bouillon de bœuf
125 ml	(½ tasse) de vin rouge
450 g	(1 lb) de cubes de porc à brochettes
10 ml	(2 c. à thé) de thym haché
30 ml	(2 c. à soupe) de sirop d'érable
2,5 ml	(½ c. à thé) d'anis étoilé moulu
2	poivrons rouges coupés en cubes
1	petit oignon rouge coupé en cubes

—

1. Dans un sac hermétique, verser la moitié du bouillon de bœuf et du vin rouge. Ajouter les cubes de porc. Secouer pour bien enrober la viande de marinade. Retirer l'air du sac et sceller. Laisser mariner au frais de 15 minutes à 2 heures.

2. Si les brochettes utilisées sont en bambou, les faire tremper dans l'eau environ 30 minutes avant la cuisson.

3. Au moment de la cuisson, égoutter les cubes de porc et jeter la marinade.

4. Préchauffer le barbecue à puissance moyenne-élevée.

5. Dans une casserole, mélanger le reste du bouillon de bœuf et du vin rouge avec le thym, le sirop d'érable et l'anis étoilé. Cuire à feu doux-moyen jusqu'à ce que le liquide ait réduit de moitié.

6. Piquer les cubes de porc sur les brochettes en les faisant alterner avec les cubes de poivrons et d'oignon rouge.

7. Sur la grille chaude et huilée du barbecue, déposer les brochettes. Fermer le couvercle et cuire de 6 à 8 minutes en retournant les brochettes de temps en temps. Servir avec la sauce à l'érable et au vin rouge.

—

PAR PORTION	
Calories	1 346
Protéines	85 g
Matières grasses	79 g
Glucides	35 g
Fibres	4 g
Fer	6 mg
Calcium	203 mg
Sodium	2 025 mg

Côtes levées Memphis

Préparation : 20 minutes – **Marinage :** 8 heures – **Cuisson :** 1 heure 40 minutes – **Quantité :** 4 portions

2,2 kg (environ 4 ¾ lb) de côtes levées de dos de porc

Pour la marinade sèche :

- 80 ml (⅓ de tasse) de cassonade
- 30 ml (2 c. à soupe) de paprika fumé doux
- 15 ml (1 c. à soupe) de poudre d'oignons
- 7,5 ml (½ c. à soupe) de sel
- 15 ml (1 c. à soupe) d'herbes de Provence
- 15 ml (1 c. à soupe) de persil séché
- 15 ml (1 c. à soupe) de moutarde en poudre
- 15 ml (1 c. à soupe) de poudre d'ail
- 10 ml (2 c. à thé) de grains de fenouil
- 5 ml (1 c. à thé) de cumin
- 5 ml (1 c. à thé) de grains de céleri
- 1,25 ml (¼ de c. à thé) de piment de Cayenne

Pour la sauce :

- 250 ml (1 tasse) de jus de pomme
- 250 ml (1 tasse) de sauce barbecue à l'érable
- 60 ml (¼ de tasse) de ketchup
- 15 ml (1 c. à soupe) de paprika fumé doux
- 15 ml (1 c. à soupe) de mélasse
- 1,25 ml (¼ de c. à thé) de piment de Cayenne
- Sel au goût

—

1. Mélanger les ingrédients de la marinade sèche.

2. Retirer la membrane blanche des côtes levées. Frotter les côtes levées avec la marinade. Envelopper séparément dans des feuilles de papier d'aluminium résistant et laisser mariner de 8 à 12 heures au frais.

3. Au moment de la cuisson, préchauffer le barbecue à puissance moyenne.

4. Éteindre l'un des brûleurs du barbecue. Déposer les papillotes sur la grille au-dessus du brûleur éteint pour une cuisson indirecte. Fermer le couvercle et cuire de 1 heure 30 minutes à 2 heures, en retournant les papillotes régulièrement.

5. Dans une casserole, mélanger les ingrédients de la sauce. Porter à ébullition à feu moyen, puis laisser mijoter jusqu'à ce que la sauce ait réduit du tiers.

6. Allumer le brûleur éteint. Retirer les côtes des papillotes et poursuivre la cuisson sur la grille 10 minutes, en badigeonnant avec la moitié de la sauce. Servir avec la sauce restante.

—

PAR PORTION	
Calories	648
Protéines	24 g
Matières grasses	51 g
Glucides	27 g
Fibres	6 g
Fer	2 mg
Calcium	72 mg
Sodium	1 330 mg

Saucisses et légumes grillés

Préparation: 20 minutes – **Marinage**: 2 heures – **Cuisson**: 10 minutes – **Quantité**: 4 portions

- 2 courgettes coupées en deux sur la longueur
- 3 poivrons de couleurs variées coupés en quartiers
- 2 petits oignons rouges coupés en quartiers
- 8 saucisses italiennes
- 60 ml (¼ de tasse) de vinaigrette italienne
- 12 petites feuilles de basilic

Pour la marinade:

- 60 ml (¼ de tasse) d'huile d'olive
- 30 ml (2 c. à soupe) de persil haché
- 30 ml (2 c. à soupe) d'origan haché
- 15 ml (1 c. à soupe) de pesto aux tomates séchées
- 15 ml (1 c. à soupe) de thym haché
- 5 ml (1 c. à thé) de poivre noir italien broyé ou de poivre du moulin
- 2 gousses d'ail émincées
- 1 feuille de laurier
- Sel au goût

—

1. Dans un grand sac hermétique, déposer les ingrédients de la marinade. Secouer. Ajouter les légumes et les saucisses dans le sac et secouer de nouveau afin de les enrober de marinade. Sceller le sac. Laisser mariner au frais de 2 à 12 heures.

2. Au moment de la cuisson, préchauffer le barbecue à puissance moyenne-élevée.

3. Égoutter les saucisses et les légumes, puis jeter la marinade.

4. Sur la grille chaude et huilée du barbecue, déposer les saucisses. Fermer le couvercle et cuire de 10 à 12 minutes.

5. Ajouter les légumes sur la grille chaude et huilée. Fermer le couvercle et cuire de 6 à 8 minutes, en retournant les légumes plusieurs fois.

6. Couper les légumes en petits cubes et déposer dans un bol avec la vinaigrette italienne. Remuer.

7. Répartir les légumes et les saucisses dans les assiettes. Parsemer de feuilles de basilic.

—

PAR PORTION	
Calories	258
Protéines	35 g
Matières grasses	5 g
Glucides	17 g
Fibres	2 g
Fer	2 mg
Calcium	45 mg
Sodium	180 mg

Salade de porc et cantaloup grillé

Préparation: 15 minutes – **Cuisson**: 20 minutes – **Quantité**: 4 portions

1	filet de porc de 600 g (environ 1 ⅓ lb)
80 ml	(⅓ de tasse) de vinaigrette balsamique aux figues
	Sel et poivre au goût
½	cantaloup coupé en huit tranches
500 ml	(2 tasses) de roquette
12 à 15	tomates cerises coupées en deux
60 ml	(¼ de tasse) de feuilles de coriandre
2	mini-concombres taillés en rubans fins

—

1. Préchauffer le barbecue à puissance moyenne-élevée.

2. Parer le filet de porc en retirant la membrane blanche.

3. Badigeonner le filet de porc avec 30 ml (2 c. à soupe) de vinaigrette. Saler et poivrer.

4. Sur la grille chaude et huilée du barbecue, déposer le filet de porc. Fermer le couvercle et cuire de 20 à 25 minutes en retournant le filet à mi-cuisson.

5. Ajouter les tranches de cantaloup sur la grille chaude et huilée. Cuire de 2 à 3 minutes, en retournant les tranches à mi-cuisson.

6. Couper les tranches de cantaloup en morceaux. Laisser le filet de porc reposer 5 minutes dans une assiette avant de le trancher.

7. Dans un saladier, mélanger la vinaigrette restante avec la roquette, les tomates cerises, la coriandre et les mini-concombres. Saler et poivrer.

8. Répartir la salade dans les assiettes. Garnir de tranches de porc et de cantaloup grillé.

—

PAR PORTION	
Calories	417
Protéines	26 g
Matières grasses	17 g
Glucides	37 g
Fibres	1 g
Fer	5 mg
Calcium	163 mg
Sodium	382 mg

Côtelettes de porc, sauce barbecue au chipotle

Préparation : 15 minutes – **Marinage** : 6 heures – **Cuisson** : 16 minutes – **Quantité** : 4 portions

- 8 côtelettes de longe de porc de 90 g (environ 3 ¼ oz) chacune

Pour la sauce barbecue au chipotle :

- 15 ml (1 c. à soupe) d'huile d'olive
- 1 oignon haché
- 15 ml (1 c. à soupe) d'ail haché
- 1 boîte de tomates en dés de 796 ml
- 250 ml (1 tasse) de bière blonde mexicaine (de type Corona)
- 60 ml (¼ de tasse) de mélasse
- 30 ml (2 c. à soupe) de vinaigre de xérès
- 30 ml (2 c. à soupe) de cassonade
- 15 ml (1 c. à soupe) de paprika fumé doux
- 5 ml (1 c. à thé) de chipotle
- Sel au goût

—

1. Retirer l'excédent de gras des côtelettes.

2. Dans une casserole, chauffer l'huile d'olive à feu moyen. Cuire l'oignon et l'ail 1 minute.

3. Ajouter le reste des ingrédients de la sauce. Porter à ébullition, puis laisser mijoter à feu moyen de 10 à 12 minutes. Retirer du feu.

4. À l'aide du mélangeur-plongeur, émulsionner la sauce jusqu'à l'obtention d'une texture lisse. Laisser tiédir.

5. Verser le tiers de la sauce barbecue dans un sac hermétique. Ajouter les côtelettes dans le sac et secouer pour les enrober de marinade. Retirer l'air du sac et sceller. Laisser mariner au frais de 6 à 8 heures. Réserver le reste de la sauce au frais.

6. Au moment de la cuisson, préchauffer le barbecue à puissance moyenne-élevée. Égoutter la viande et jeter la marinade.

7. Sur la grille chaude et huilée du barbecue, déposer les côtelettes. Fermer le couvercle et cuire de 6 à 8 minutes, en retournant les côtelettes et en les badigeonnant avec le tiers de la sauce réservée plusieurs fois.

8. Réchauffer le reste de la sauce barbecue réservée dans une casserole à feu moyen. Servir avec les côtelettes.

—

PAR PORTION	
1 hot-dog	
Calories	426
Protéines	14 g
Matières grasses	25 g
Glucides	36 g
Fibres	4 g
Fer	2 mg
Calcium	174 mg
Sodium	896 mg

Hot-dog nacho

Préparation: 20 minutes – **Cuisson**: 8 minutes – **Quantité**: 8 hot-dogs

8	saucisses à hot-dog au choix
30 ml	(2 c. à soupe) de beurre ramolli
8	pains à hot-dog
180 ml	(¾ de tasse) de salsa
250 ml	(1 tasse) de tartinade au fromage fondu (de type Le petit crémeux)

Pour la garniture:

125 ml	(½ tasse) de croustilles de maïs écrasées
45 ml	(3 c. à soupe) de coriandre émincée
8	tomates cerises coupées en quatre
3	demi-poivrons de couleurs variées coupés en dés
1	avocat coupé en dés
1	jalapeño épépiné et coupé en fines rondelles (facultatif)
½	oignon rouge coupé en dés

—

1. Préchauffer le barbecue à puissance moyenne-élevée.

2. Dans un bol, mélanger les ingrédients de la garniture.

3. Sur la grille chaude et huilée du barbecue, déposer les saucisses. Fermer le couvercle et cuire les saucisses de 8 à 10 minutes.

4. Beurrer l'extérieur des pains.

5. Faire griller les pains de 1 à 2 minutes de chaque côté sur la grille supérieure du barbecue.

6. Garnir chacun des pains de salsa, d'une saucisse, de tartinade au fromage fondu et de garniture.

—

PAR PORTION	
Calories	291
Protéines	35 g
Matières grasses	12 g
Glucides	9 g
Fibres	0 g
Fer	3 mg
Calcium	69 mg
Sodium	953 mg

Souvlakis de porc à la grecque

Préparation : 15 minutes – **Marinage** : 2 heures – **Cuisson** : 6 minutes – **Quantité** : 4 portions

1	filet de porc de 600 g (environ 1 ⅓ lb)
30 ml	(2 c. à soupe) d'assaisonnements grecs
30 ml	(2 c. à soupe) de jus de citron
5 ml	(1 c. à thé) de paprika
30 ml	(2 c. à soupe) d'huile d'olive
15 ml	(1 c. à soupe) d'ail haché
10 ml	(2 c. à thé) de moutarde de Dijon
	Sel et poivre au goût
125 ml	(½ tasse) de tzatziki

—

1. Parer le filet de porc en retirant la membrane blanche.

2. Couper le filet de porc en cubes de 2 cm (¾ de po). Déposer dans un bol.

3. Dans un autre bol, mélanger les assaisonnements grecs avec le jus de citron, le paprika, l'huile d'olive, l'ail et la moutarde.

4. Verser la marinade sur les cubes de porc, puis remuer afin d'enrober la viande de marinade. Couvrir et laisser mariner de 2 à 12 heures au frais.

5. Si les brochettes utilisées sont en bambou, les faire tremper dans l'eau environ 30 minutes avant la cuisson.

6. Au moment de la cuisson, préchauffer le barbecue à puissance moyenne-élevée.

7. Égoutter le porc et jeter la marinade.

8. Piquer les cubes de porc sur quatre brochettes. Saler et poivrer.

9. Sur la grille chaude et huilée du barbecue, déposer les souvlakis. Fermer le couvercle et cuire de 6 à 8 minutes, en retournant les souvlakis à mi-cuisson. Servir avec le tzatziki.

—

PAR PORTION	
Calories	264
Protéines	35 g
Matières grasses	12 g
Glucides	3 g
Fibres	0 g
Fer	1 mg
Calcium	14 mg
Sodium	153 mg

Rôti de porc enrobé de bacon

Préparation : 25 minutes – **Cuisson :** 49 minutes – **Temps de repos :** 10 minutes – **Quantité :** 12 portions

1 rôti de longe de porc de 1,8 kg (4 lb)

5 tranches de bacon fumé à l'érable

Pour la marinade :

30 ml (2 c. à soupe) d'huile d'olive

15 ml (1 c. à soupe) de poudre d'oignons

15 ml (1 c. à soupe) de moutarde en poudre

15 ml (1 c. à soupe) de thym haché

15 ml (1 c. à soupe) de miel

15 ml (1 c. à soupe) de sauce HP

10 ml (2 c. à thé) de poudre d'ail

Sel et poivre au goût

—

1. Préchauffer le barbecue à puissance moyenne-élevée.

2. Dans un bol, mélanger les ingrédients de la marinade.

3. Badigeonner le rôti de porc avec la marinade. Déposer les tranches de bacon sur le rôti. Ficeler le rôti.

4. Sur la grille chaude et huilée du barbecue, déposer le rôti. Fermer le couvercle et saisir le rôti 2 minutes de chaque côté.

5. Éteindre l'un des brûleurs du barbecue. Déposer le rôti sur la grille du côté du brûleur éteint pour une cuisson indirecte. Insérer un thermomètre à cuisson au centre du rôti. Fermer le couvercle et cuire de 45 à 50 minutes, jusqu'à ce que le thermomètre indique une température de 63 °C (145 °F).

6. Déposer le rôti sur une planche à découper. Couvrir la viande d'une feuille de papier d'aluminium, sans serrer. Laisser reposer de 10 à 15 minutes avant de trancher.

—

Le bœuf, grande vedette du gril !

Rien de tel qu'un bon steak sur le barbecue pour se faire plaisir ! Mais au-delà de cette coupe, une myriade de coupes de bœuf promettent de nous offrir satisfaction : bavette, filet mignon, brochettes… Prêt à découvrir des grillades bonnes à s'en lécher les babines ? C'est parti !

Rosettes de bœuf aux pommes et fromage à raclette

Préparation : 25 minutes – **Cuisson :** 4 minutes – **Quantité :** 4 portions (8 rosettes)

PAR PORTION	
2 rosettes	
Calories	501
Protéines	45 g
Matières grasses	32 g
Glucides	12 g
Fibres	4 g
Fer	4 mg
Calcium	146 mg
Sodium	826 mg

- 450 g (1 lb) de bifteck sandwich de cuisse
- 10 tranches de capicollo
- 1 paquet de tranches de fromage à raclette suisse de 200 g
- 375 ml (1 ½ tasse) de bébés épinards

Pour la garniture :

- 125 ml (½ tasse) de poivrons rouges rôtis coupés en dés
- 80 ml (⅓ de tasse) de tomates séchées coupées en dés
- 60 ml (¼ de tasse) de noix de pin
- 15 ml (1 c. à soupe) d'huile d'olive
- 15 ml (1 c. à soupe) de jus de citron
- 15 ml (1 c. à soupe) de thym haché
- 1 pomme Cortland ou Gala coupée en dés
- Sel et poivre au goût

—

1. Préchauffer le barbecue à puissance moyenne-élevée.

2. Dans un bol, mélanger les ingrédients de la garniture.

3. Déposer les tranches de bifteck sur une feuille de papier parchemin en les superposant légèrement afin de former un rectangle de 25 cm x 20 cm (10 po x 8 po).

4. Répartir le capicollo, le fromage à raclette et les bébés épinards sur les tranches. Couvrir avec la garniture.

5. Rouler la viande en serrant au fur et à mesure à l'aide du papier parchemin de manière à obtenir un rouleau.

6. Nouer des ficelles tous les 2 cm (¾ de po) autour de la viande.

7. Trancher le bœuf entre les ficelles afin de former huit morceaux.

8. Sur la grille chaude et huilée du barbecue, déposer les rosettes de bœuf. Fermer le couvercle et cuire de 2 à 3 minutes de chaque côté.

—

J'aime avec...

Chutney aux oignons et pommes

Couper en dés 2 petits oignons rouges et 2 pommes Délicieuse jaune. Dans une casserole, mélanger les oignons rouges avec les pommes, 2,5 ml (½ c. à thé) de grains de moutarde, 15 ml (1 c. à soupe) de gingembre haché, 2,5 ml (½ c. à thé) de poivre noir italien broyé ou de poivre du moulin, 60 ml (¼ de tasse) de cassonade, 30 ml (2 c. à soupe) de vinaigre de cidre, 15 ml (1 c. à soupe) d'huile d'olive, 30 ml (2 c. à soupe) de miel, 1 clou de girofle, 80 ml (⅓ de tasse) de raisins secs Sultana et 80 ml (⅓ de tasse) d'eau. Saler. Porter à ébullition, puis laisser mijoter 15 minutes à feu doux en remuant de temps en temps, jusqu'à l'obtention d'une texture de compote.

Biftecks d'aloyau aux épices Buffalo

Préparation: 20 minutes – **Réfrigération:** 15 heures
Cuisson: 4 minutes – **Quantité:** 4 portions

PAR PORTION	
Calories	367
Protéines	46 g
Matières grasses	15 g
Glucides	10 g
Fibres	1 g
Fer	4 mg
Calcium	57 mg
Sodium	290 mg

4 biftecks d'aloyau de 350 g (environ ¾ de lb) chacun

Pour la marinade sèche:

45 ml (3 c. à soupe) de cassonade
10 ml (2 c. à thé) de poudre de chili
10 ml (2 c. à thé) de poudre d'oignons
10 ml (2 c. à thé) de paprika fumé doux
7,5 ml (½ c. à soupe) de moutarde en poudre
2,5 ml (½ c. à thé) de poudre d'ail
2,5 ml (½ c. à thé) de cumin
1,25 ml (¼ de c. à thé) de sel
1 pincée de piment de Cayenne

—

1. Dans un bol, mélanger les ingrédients de la marinade sèche. Frotter les biftecks avec la marinade sèche. Réfrigérer 15 minutes.

2. Au moment de la cuisson, préchauffer le barbecue à puissance moyenne-élevée.

3. Sur la grille chaude et huilée du barbecue, déposer les biftecks. Fermer le couvercle et cuire de 2 à 3 minutes de chaque côté pour une cuisson saignante.

—

J'aime avec...

Salade de tomates, pommes de terre grelots et olives

Dans un bol, mélanger 450 g (1 lb) de pommes de terre grelots coupées en deux avec 45 ml (3 c. à soupe) de vinaigrette italienne. Sur une grande feuille de papier d'aluminium épais, déposer les pommes de terre. Replier le papier d'aluminium de manière à former une papillote hermétique. Sur la grille chaude du barbecue, cuire la papillote de 18 à 20 minutes à puissance moyenne-élevée, couvercle fermé. Retirer la papillote du barbecue et laisser tiédir. Dans un saladier, mélanger 16 olives Kalamata avec 2 branches de céleri émincées, 10 tomates cerises de couleurs variées coupées en deux, les pommes de terre grelots et 80 ml (⅓ de tasse) de vinaigrette italienne.

Bavette caramélisée

Préparation : 20 minutes – **Marinage :** 6 heures – **Cuisson :** 12 minutes
Temps de repos : 8 minutes – **Quantité :** 4 portions

PAR PORTION	
Calories	481
Protéines	42 g
Matières grasses	22 g
Glucides	23 g
Fibres	1 g
Fer	5 mg
Calcium	61 mg
Sodium	968 mg

1 bavette de bœuf de 750 g (environ 1 ⅔ lb)

Pour la marinade :

- 125 ml (½ tasse) de bière
- 60 ml (¼ de tasse) d'échalotes sèches (françaises) hachées
- 60 ml (¼ de tasse) de sauce barbecue
- 45 ml (3 c. à soupe) de mélasse
- 30 ml (2 c. à soupe) de sauce HP
- 30 ml (2 c. à soupe) de sauce soya
- 30 ml (2 c. à soupe) de vinaigre de vin rouge
- 30 ml (2 c. à soupe) d'huile d'olive
- 15 ml (1 c. à soupe) de moutarde de Dijon
- 15 ml (1 c. à soupe) de thym haché
- 15 ml (1 c. à soupe) d'ail haché
- Sel et poivre au goût

—

1. Dans un bol, mélanger les ingrédients de la marinade. Transférer la moitié de la marinade dans un grand sac hermétique. Réserver le reste de la marinade au frais.

2. Ajouter la bavette dans le sac et secouer pour bien enrober la viande de marinade. Retirer l'air du sac et sceller. Laisser mariner de 6 à 8 heures au frais, idéalement toute une nuit.

3. Au moment de la cuisson, préchauffer le barbecue à puissance moyenne-élevée.

4. Égoutter la bavette au-dessus d'une casserole afin de récupérer la marinade.

5. Sur la grille chaude et huilée du barbecue, déposer la bavette. Fermer le couvercle et cuire de 12 à 15 minutes pour une cuisson saignante, en retournant la bavette quelques fois et en la badigeonnant avec la marinade réservée à l'étape 1 quatre fois.

6. Pendant ce temps, porter la marinade contenue dans la casserole à ébullition, puis laisser mijoter de 10 à 12 minutes.

7. Déposer la bavette dans une assiette et couvrir d'une feuille de papier d'aluminium, sans serrer. Laisser reposer de 8 à 10 minutes avant de trancher. Servir avec la sauce.

—

Salade de maïs grillé, tomates cerises, radis et coriandre

Dans un saladier, mélanger 60 ml (¼ de tasse) d'huile d'olive avec 15 ml (1 c. à soupe) de zestes de citron, 30 ml (2 c. à soupe) de jus de citron, 30 ml (2 c. à soupe) de sirop d'érable, 45 ml (3 c. à soupe) de persil haché, 3 oignons verts hachés et 30 ml (2 c. à soupe) de coriandre hachée. Saler et poivrer. Badigeonner 4 épis de maïs d'un peu d'huile parfumée. Sur la grille chaude du barbecue, cuire les épis de maïs de 12 à 15 minutes à puissance moyenne-élevée, couvercle fermé, en les retournant fréquemment. Retirer du barbecue et laisser tiédir. Égrainer les épis de maïs à l'aide d'un couteau. Dans le saladier, ajouter les grains de maïs, 18 tomates cerises de couleurs variées coupées en deux, 3 mini-concombres coupés en dés et 8 radis émincés. Remuer.

Burger nacho

Préparation: 25 minutes – **Réfrigération**: 15 minutes
Cuisson: 10 minutes – **Quantité**: 4 portions

PAR PORTION	
Calories	1 069
Protéines	47 g
Matières grasses	57 g
Glucides	96 g
Fibres	8 g
Fer	6 mg
Calcium	457 mg
Sodium	1 120 mg

- 80 ml (⅓ de tasse) de crème à cuisson 15 %
- 150 g (⅓ de lb) de cheddar jaune râpé
- 4 pains à hamburger
- 4 feuilles de laitue Boston

Pour les galettes:

- 450 g (1 lb) de bœuf haché mi-maigre
- 60 ml (¼ de tasse) de croustilles de maïs réduites en chapelure
- 45 ml (3 c. à soupe) de coriandre hachée
- 15 ml (1 c. à soupe) d'assaisonnements à chili
- 10 ml (2 c. à thé) de sauce Worcestershire
- 1 œuf battu
- 1 jalapeño épépiné et haché (facultatif)
- Sel au goût

Pour la garniture:

- 30 ml (2 c. à soupe) de coriandre hachée
- 30 ml (2 c. à soupe) d'huile d'olive
- 15 ml (1 c. à soupe) de jus de lime
- 8 tomates cerises coupées en quatre
- 6 croustilles de maïs écrasées
- 1 avocat coupé en dés
- 1 petit oignon rouge coupé en dés

—

1. Dans un bol, mélanger les ingrédients des galettes. Réserver au frais 15 minutes.

2. Au moment de la cuisson, préchauffer le barbecue à puissance moyenne-élevée.

3. Façonner quatre galettes d'environ 2 cm (¾ de po) d'épaisseur avec la préparation.

4. Sur la grille chaude et huilée du barbecue, déposer les galettes. Fermer le couvercle et cuire les galettes de 5 à 7 minutes de chaque côté en les retournant fréquemment, jusqu'à ce que l'intérieur des galettes ait perdu sa teinte rosée.

5. Pendant ce temps, porter la crème à ébullition dans une casserole.

6. Retirer la casserole du feu et ajouter le cheddar. Laisser fondre, puis remuer.

7. Dans un bol, mélanger les ingrédients de la garniture.

8. Si désiré, préparer la mayonnaise chipotle (voir la recette ci-dessous).

9. Sur la grille supérieure du barbecue, faire griller les pains 1 minute.

10. Si désiré, tartiner les pains de mayonnaise chipotle. Garnir les pains de laitue, d'une galette de viande, de sauce au cheddar et de garniture.

—

J'aime avec...

Mayonnaise chipotle

Mélanger 125 ml (½ tasse) de mayonnaise avec 30 ml (2 c. à soupe) de ciboulette hachée, 15 ml (1 c. à soupe) de zestes de lime, 15 ml (1 c. à soupe) de miel et 1,25 ml (¼ de c. à thé) de chipotle. Saler.

Steak mariné, sauce au bourbon

Préparation : 20 minutes – **Marinage :** 20 minutes
Cuisson : 12 minutes – **Quantité :** 4 portions

PAR PORTION	
Calories	455
Protéines	42 g
Matières grasses	22 g
Glucides	13 g
Fibres	1 g
Fer	5 mg
Calcium	45 mg
Sodium	576 mg

- 4 faux-filets de bœuf de 180 g (environ ⅓ de lb) chacun et de 2,5 cm (1 po) d'épaisseur
- 30 ml (2 c. à soupe) de beurre
- 60 ml (¼ de tasse) d'échalotes sèches (françaises) hachées
- 1 tige de thym
- 2 gousses d'ail hachées
- 60 ml (¼ de tasse) de bourbon
- 30 ml (2 c. à soupe) de cassonade
- 250 ml (1 tasse) de sauce demi-glace
- 15 ml (1 c. à soupe) de pâte de tomates
- Sel et poivre au goût

Pour la marinade :

- 80 ml (⅓ de tasse) de vin blanc
- 45 ml (3 c. à soupe) d'échalotes sèches (françaises) hachées
- 30 ml (2 c. à soupe) d'huile d'olive
- 15 ml (1 c. à soupe) de moutarde en poudre
- 15 ml (1 c. à soupe) de thym haché
- 5 ml (1 c. à thé) de poudre de chili

—

1. Dans un bol, mélanger les ingrédients de la marinade.

2. Transvider la marinade dans un sac hermétique, puis y ajouter les faux-filets. Secouer pour bien enrober la viande de marinade. Sceller le sac et laisser mariner 20 minutes au frais.

3. Au moment de la cuisson, préchauffer le barbecue à puissance moyenne-élevée.

4. Dans une casserole, faire fondre le beurre à feu moyen. Cuire les échalotes, le thym et l'ail 1 minute.

5. Incorporer le bourbon et la cassonade. Poursuivre la cuisson 1 minute.

6. Incorporer la sauce demi-glace et la pâte de tomates. Laisser mijoter de 6 à 8 minutes à feu moyen, jusqu'à l'obtention d'une consistance de sauce.

7. À l'aide d'une passoire fine, filtrer la sauce au-dessus d'un bol, puis la remettre dans la casserole. Saler et poivrer. Porter de nouveau la sauce à ébullition, puis réserver au chaud.

8. Égoutter la viande et jeter la marinade.

9. Sur la grille chaude et huilée du barbecue, déposer les faux-filets. Fermer le couvercle et cuire de 2 à 3 minutes de chaque côté pour une cuisson saignante. Servir avec la sauce.

—

J'aime avec...

Émincé de poivrons et oignon rouge

Dans une poêle, chauffer 15 ml (1 c. à soupe) d'huile d'olive à feu moyen. Cuire 1 petit oignon rouge émincé, 3 demi-poivrons de couleurs variées émincés et 1 gousse d'ail hachée de 3 à 4 minutes. Saler et poivrer. Parsemer de 15 ml (1 c. à soupe) de thym haché.

PAR PORTION	
Calories	384
Protéines	45 g
Matières grasses	15 g
Glucides	12 g
Fibres	0 g
Fer	4 mg
Calcium	47 mg
Sodium	1 134 mg

Surf and turf

Préparation: 10 minutes – **Marinage**: 4 heures – **Cuisson**: 10 minutes
Quantité: 4 portions

4 filets mignons de bœuf de 180 g (environ ⅓ de lb) chacun et de 2,5 cm (1 po) d'épaisseur

12 crevettes moyennes (calibre 31/40), crues et décortiquées

180 ml (¾ de tasse) de sauce demi-glace

Pour la marinade:

125 ml (½ tasse) de bière blonde

30 ml (2 c. à soupe) de sirop d'érable

30 ml (2 c. à soupe) de sauce HP

15 ml (1 c. à soupe) d'épices à steak

—

1. Dans un bol, mélanger les ingrédients de la marinade.

2. Transvider la marinade dans un sac hermétique et y ajouter les filets mignons. Secouer pour bien enrober les filets mignons de marinade. Sceller le sac et laisser mariner de 4 à 6 heures au frais.

3. Au moment de la cuisson, préchauffer le barbecue à puissance moyenne-élevée.

4. Égoutter les filets au-dessus d'une casserole afin de récupérer la marinade.

5. Sur la grille chaude et huilée du barbecue, déposer les filets mignons. Fermer le couvercle et cuire de 4 à 5 minutes de chaque côté pour une cuisson saignante.

6. Sur la grille chaude et huilée, cuire les crevettes de 1 à 2 minutes de chaque côté.

7. Ajouter la sauce demi-glace dans la casserole contenant la marinade réservée. Porter à ébullition, puis laisser mijoter 10 minutes à feu doux.

8. Répartir les filets mignons dans les assiettes. Garnir de crevettes et napper de sauce.

—

PAR PORTION	
Calories	533
Protéines	50 g
Matières grasses	29 g
Glucides	17 g
Fibres	3 g
Fer	6 mg
Calcium	518 mg
Sodium	1 150 mg

Brochettes de bœuf et fromage à griller

Préparation : 20 minutes – **Trempage (facultatif) :** 30 minutes – **Marinage :** 20 minutes
Cuisson : 6 minutes – **Quantité :** 4 portions

675 g	(environ 1 ½ lb) de cubes de bœuf à brochettes
200 g	(environ ½ lb) de fromage halloumi (fromage à griller de type Doré-mi) coupé en cubes
1	petit oignon rouge coupé en cubes
2	poivrons jaunes coupés en cubes

Pour la marinade :

30 ml	(2 c. à soupe) de moutarde de Dijon
30 ml	(2 c. à soupe) d'huile d'olive
30 ml	(2 c. à soupe) de sauce soya
30 ml	(2 c. à soupe) de jus de citron
15 ml	(1 c. à soupe) d'ail haché
15 ml	(1 c. à soupe) de grains de coriandre écrasés
15 ml	(1 c. à soupe) de poudre d'oignons
15 ml	(1 c. à soupe) de miel
15 ml	(1 c. à soupe) de paprika fumé doux
15 ml	(1 c. à soupe) de grains de moutarde
5 ml	(1 c. à thé) de poivre
	Sel au goût

—

1. Si les brochettes utilisées sont en bambou, les faire tremper dans l'eau 30 minutes avant la cuisson.

2. Préchauffer le barbecue à puissance moyenne-élevée.

3. Dans un bol, mélanger les ingrédients de la marinade. Transférer la moitié dans un autre bol, puis y ajouter le bœuf et le fromage. Couvrir et laisser mariner 20 minutes au frais. Réserver le reste de la marinade au frais.

4. Au moment de la cuisson, égoutter le bœuf et le fromage. Jeter la marinade. Piquer les cubes de bœuf, de fromage, d'oignon et de poivrons sur quatre brochettes, en les faisant alterner.

5. Sur la grille chaude et huilée du barbecue, déposer les brochettes. Fermer le couvercle et cuire les brochettes de 6 à 8 minutes pour une cuisson saignante, en les retournant quelques fois et en les badigeonnant de la marinade réservée.

—

PAR PORTION	
Calories	427
Protéines	41 g
Matières grasses	15 g
Glucides	25 g
Fibres	2 g
Fer	4 mg
Calcium	74 mg
Sodium	1 205 mg

Steak de flanc mariné

Préparation: 20 minutes – **Marinage**: 8 heures – **Cuisson**: 10 minutes
Quantité: 4 portions

675 g	(environ 1 ½ lb) de steak de flanc de bœuf
250 ml	(1 tasse) de sauce demi-glace

Pour la marinade:

125 ml	(½ tasse) de vin blanc
60 ml	(¼ de tasse) de sirop d'érable
45 ml	(3 c. à soupe) de sauce soya
30 ml	(2 c. à soupe) de moutarde en poudre
15 ml	(1 c. à soupe) de gingembre haché
15 ml	(1 c. à soupe) d'ail haché
1	oignon haché
1	tige de romarin
	Sel et poivre au goût

—

1. Dans un bol, mélanger les ingrédients de la marinade. Transvider la marinade dans un sac hermétique et y ajouter le steak de flanc. Secouer pour bien enrober le steak de marinade. Sceller le sac et laisser mariner de 8 à 12 heures au frais.

2. Au moment de la cuisson, préchauffer le barbecue à puissance moyenne-élevée.

3. Égoutter le steak de flanc au-dessus d'une casserole afin de récupérer la marinade.

4. Sur la grille chaude et huilée du barbecue, déposer le steak de flanc. Fermer le couvercle et cuire le steak de 5 à 6 minutes de chaque côté pour une cuisson saignante. Transférer dans une assiette et couvrir d'une feuille de papier d'aluminium, sans serrer. Laisser reposer de 5 à 8 minutes avant de trancher.

5. Pendant ce temps, ajouter la sauce demi-glace dans la casserole contenant la marinade réservée. Porter à ébullition, puis laisser mijoter de 10 à 12 minutes à feu doux.

6. À l'aide d'une passoire fine, filtrer la sauce. Servir avec le steak de flanc.

—

PAR PORTION	
Calories	473
Protéines	42 g
Matières grasses	32 g
Glucides	3 g
Fibres	0 g
Fer	5 mg
Calcium	31 mg
Sodium	1 746 mg

Filet mignon au beurre parfumé

Préparation: 20 minutes – **Réfrigération**: 2 heures – **Cuisson**: 8 minutes
Quantité: 4 portions

4 filets mignons de bœuf de 180 g (environ ⅓ de lb) chacun

Pour la marinade:

- 30 ml (2 c. à soupe) de sauce soya
- 15 ml (1 c. à soupe) de sauce HP
- 15 ml (1 c. à soupe) de vinaigre balsamique
- 15 ml (1 c. à soupe) d'épices à steak
- 3 tiges de thym hachées
- Sel et poivre au goût

Pour le beurre parfumé:

- 125 ml (½ tasse) de beurre ramolli
- 15 ml (1 c. à soupe) de persil haché
- 15 ml (1 c. à soupe) d'assaisonnements à salade

—

1. Dans un bol, mélanger les ingrédients de la marinade.

2. Transvider la marinade dans un sac hermétique et y ajouter les filets mignons. Secouer le sac pour bien enrober les filets mignons de marinade. Sceller le sac et laisser mariner de 2 à 3 heures au frais.

3. Pendant ce temps, mélanger les ingrédients du beurre parfumé dans un autre bol. Déposer la préparation sur une pellicule plastique. Rouler la pellicule de manière à obtenir un cylindre de 2,5 cm (1 po) de diamètre. Placer au réfrigérateur de 2 à 3 heures.

4. Au moment de la cuisson, préchauffer le barbecue à puissance moyenne-élevée.

5. Égoutter les filets mignons et jeter la marinade.

6. Sur la grille chaude et huilée du barbecue, déposer les filets. Fermer le couvercle et cuire les filets de 8 à 10 minutes pour une cuisson saignante, en les retournant plusieurs fois.

7. Au moment de servir, déposer une rondelle de beurre parfumé sur chaque filet mignon.

—

PAR PORTION	
Calories	439
Protéines	43 g
Matières grasses	11 g
Glucides	30 g
Fibres	2 g
Fer	6 mg
Calcium	93 mg
Sodium	596 mg

Filet mignon, sauce au vin rouge

Préparation: 20 minutes – **Marinage**: 2 heures – **Cuisson**: 19 minutes – **Quantité**: 4 portions

- 4 filets mignons de bœuf de 180 g (environ ⅓ de lb) chacun
- 15 ml (1 c. à soupe) d'huile d'olive
- 80 ml (⅓ de tasse) d'échalotes sèches (françaises) hachées
- 15 ml (1 c. à soupe) d'ail haché
- 250 ml (1 tasse) de sauce demi-glace
- Sel et poivre au goût

Pour la marinade:

- 250 ml (1 tasse) de vin rouge
- 60 ml (¼ de tasse) de sirop d'érable
- 15 ml (1 c. à soupe) de grains de coriandre
- 15 ml (1 c. à soupe) de sauce Worcestershire
- 3 tiges de thym hachées
- 1 oignon haché
- 1 carotte coupée en dés
- 1 feuille de laurier
- Sel et poivre au goût

—

1. Dans un sac hermétique, déposer les ingrédients de la marinade. Secouer. Ajouter les filets mignons dans le sac et secouer de nouveau pour bien les enrober de marinade. Sceller le sac et laisser mariner de 2 à 3 heures au frais.

2. Au moment de la cuisson, préchauffer le barbecue à puissance moyenne-élevée.

3. Égoutter les filets au-dessus d'un bol afin de récupérer la marinade.

4. Dans une casserole, chauffer l'huile à feu moyen. Cuire les échalotes et l'ail 1 minute.

5. Ajouter la marinade réservée et laisser mijoter de 5 à 6 minutes à feu moyen, jusqu'à ce que la sauce ait réduit de moitié.

6. Incorporer la sauce demi-glace. Saler, poivrer et porter à ébullition. Laisser mijoter de 5 à 6 minutes à feu doux-moyen. Retirer du feu. À l'aide d'une passoire fine, filtrer la sauce.

7. Sur la grille chaude et huilée du barbecue, déposer les filets. Fermer le couvercle et cuire les filets de 4 à 5 minutes de chaque côté pour une cuisson saignante. Servir avec la sauce.

—

PAR PORTION	
Calories	255
Protéines	33 g
Matières grasses	12 g
Glucides	3 g
Fibres	0 g
Fer	3 mg
Calcium	24 mg
Sodium	194 mg

Tournedos de bœuf

Préparation: 10 minutes – **Marinage**: 2 heures – **Cuisson**: 4 minutes
Quantité: 4 portions

4 tournedos de bœuf de 150 g (⅓ de lb) chacun

4 tranches de bacon précuit

Pour la marinade:

80 ml (⅓ de tasse) de vin rouge

60 ml (¼ de tasse) d'échalotes sèches (françaises) hachées

30 ml (2 c. à soupe) de sauce Worcestershire

15 ml (1 c. à soupe) de mélasse

15 ml (1 c. à soupe) de thym haché

15 ml (1 c. à soupe) de cassonade

Sel et poivre au goût

—

1. Dans un bol, mélanger les ingrédients de la marinade.

2. Transvider la marinade dans un sac hermétique et y ajouter les tournedos de bœuf. Secouer le sac pour bien enrober les tournedos de marinade. Sceller le sac et laisser mariner de 2 à 3 heures au frais.

3. Au moment de la cuisson, préchauffer le barbecue à puissance moyenne-élevée.

4. Égoutter les tournedos et jeter la marinade.

5. Enrouler une tranche de bacon autour de chaque tournedos. Fixer à l'aide de cure-dents.

6. Sur la grille chaude et huilée du barbecue, déposer les tournedos. Fermer le couvercle et cuire les tournedos de 2 à 3 minutes de chaque côté pour une cuisson saignante.

—

Merveilles de la mer

Les délices de la mer font bon ménage avec la cuisson sur le gril : crevettes, pétoncles, saumon, thon et autres acquièrent une texture et une saveur irrésistibles ! Au menu pour votre prochain barbecue : saumon sur planche d'érable, thon grillé au pesto de roquette, guédilles au homard, brochettes de crevettes avec beurre citronné à l'ail... Plongez dans cette section sans retenue !

Saumon au sésame et agrumes sur planche d'érable

Préparation : 30 minutes – **Trempage :** 2 heures – **Cuisson :** 20 minutes
Quantité : 4 portions

PAR PORTION	
Calories	493
Protéines	37 g
Matières grasses	33 g
Glucides	12 g
Fibres	2 g
Fer	2 mg
Calcium	86 mg
Sodium	376 mg

- 2 pavés de saumon de 350 g (environ ¾ de lb) chacun et de 2 cm (¾ de po) d'épaisseur, la peau enlevée
- ½ citron coupé en quatre rondelles
- ½ orange coupée en quatre rondelles

Pour la sauce :

- 45 ml (3 c. à soupe) de jus d'orange
- 45 ml (3 c. à soupe) d'aneth haché
- 30 ml (2 c. à soupe) de cassonade
- 30 ml (2 c. à soupe) de graines de sésame
- 30 ml (2 c. à soupe) de sauce soya
- 30 ml (2 c. à soupe) de jus de citron
- 30 ml (2 c. à soupe) d'huile de sésame (non grillé)
- 15 ml (1 c. à soupe) de gingembre haché
- Sel et poivre au goût

Prévoir aussi :

- 1 planche d'érable de 38 cm x 14 cm (15 po x 5 ½ po)

—

1. Faire tremper la planche de 2 à 4 heures dans un récipient rempli d'eau, en la maintenant immergée à l'aide d'un poids.

2. Dans un bol, mélanger les ingrédients de la sauce. Réserver au frais.

3. Au moment de la cuisson, préchauffer le barbecue à puissance moyenne-élevée.

4. Égoutter et assécher légèrement la planche avec un linge.

5. Chauffer la planche sur le barbecue environ 10 minutes, jusqu'à ce qu'elle commence à fumer.

6. Tremper les pavés de saumon dans la sauce réservée et les retourner pour bien les enrober de sauce.

7. Éteindre le brûleur se trouvant en dessous de la planche pour une cuisson indirecte. Déposer les pavés sur la planche et répartir les rondelles d'agrumes sur les pavés en les intercalant.

8. Fermer le couvercle du barbecue et cuire de 20 à 25 minutes, jusqu'à ce que la chair du saumon se détache facilement à la fourchette. Pendant la cuisson, surveiller la planche à quelques reprises pour ne pas qu'elle s'enflamme. Au besoin, l'humidifier à l'aide d'un vaporisateur d'eau. Retirer du barbecue et servir immédiatement.

—

LE SAVIEZ-VOUS?

—

Vous pouvez opter pour différentes essences de bois !

Rien de tel que les planches de bois pour donner un goût légèrement fumé au poisson et aux fruits de mer ! Les essences les plus populaires sont sans contredit les planches de cèdre et d'érable, aujourd'hui offertes dans plusieurs supermarchés. Sachez toutefois qu'il existe d'autres essences de bois plus exotiques, comme le noyer, le pommier, le hickory ou le cerisier, que vous aurez plus de chances de dénicher dans les poissonneries, les magasins de cuisine et les épiceries fines. Vous pouvez aussi trouver certaines de ces essences en quincaillerie : assurez-vous alors d'opter pour des planches non traitées. Enfin, pour injecter des arômes supplémentaires à votre planche, notez qu'il est possible d'y frotter une gousse d'ail, ou encore de la faire tremper quatre heures dans la bière, le vin ou tout autre alcool ininflammable.

Salade de crevettes grillées à la mandarine

Préparation: 25 minutes – **Trempage (facultatif)**: 30 minutes – **Marinage**: 20 minutes
Cuisson: 4 minutes – **Quantité**: 4 portions

PAR PORTION	
Calories	450
Protéines	15 g
Matières grasses	31 g
Glucides	30 g
Fibres	4 g
Fer	3 mg
Calcium	97 mg
Sodium	114 mg

30 grosses crevettes (calibre 21/25), crues et décortiquées
2 mini-concombres
8 gros radis
1 petit oignon rouge
375 ml (1 ½ tasse) de quinoa cuit
750 ml (3 tasses) de bébés épinards
125 ml (½ tasse) de graines de chanvre crues et décortiquées

Pour la marinade:
125 ml (½ tasse) d'huile d'olive
80 ml (⅓ de tasse) de jus de mandarine
60 ml (¼ de tasse) de ciboulette hachée
30 ml (2 c. à soupe) de zestes de mandarine
30 ml (2 c. à soupe) de miel
30 ml (2 c. à soupe) de persil haché
5 ml (1 c. à thé) d'ail haché
Sel et poivre au goût

—

1. Si les brochettes utilisées sont en bambou, les faire tremper dans l'eau environ 30 minutes avant la cuisson.

2. Dans un bol, mélanger les ingrédients de la marinade. Transvider le tiers de la marinade dans un sac hermétique. Ajouter les crevettes dans le sac et secouer pour enrober les crevettes de marinade. Retirer l'air du sac et sceller. Laisser mariner 20 minutes au frais. Réserver le reste de la marinade au frais.

3. Au moment de la cuisson, préchauffer le barbecue à puissance moyenne-élevée.

4. À l'aide d'une mandoline, couper les mini-concombres et les radis en tranches fines. Émincer l'oignon rouge. Déposer dans un saladier avec le quinoa cuit, les bébés épinards, les graines de chanvre et la marinade réservée. Mélanger et réserver.

5. Égoutter les crevettes et jeter la marinade. Piquer les crevettes sur quatre brochettes.

6. Sur la grille chaude et huilée du barbecue, déposer les brochettes. Fermer le couvercle et cuire les brochettes de 2 à 3 minutes de chaque côté.

7. Répartir la préparation au quinoa dans les assiettes. Garnir chaque portion de crevettes.

—

J'aime avec...

Croûtons grillés à l'huile de parmesan

Dans un bol, mélanger 30 ml (2 c. à soupe) d'huile d'olive avec 45 ml (3 c. à soupe) de beurre fondu, 60 ml (¼ de tasse) de parmesan râpé, 10 ml (2 c. à thé) de thym haché, 5 ml (1 c. à thé) de poudre d'oignons et 2,5 ml (½ c. à thé) de poudre d'ail. Saler et poivrer. Couper ½ baguette de pain ciabatta en douze tranches. Badigeonner les tranches d'huile parfumée. Cuire les tranches de pain sur la grille chaude et huilée du barbecue 1 minute de chaque côté à puissance moyenne-élevée.

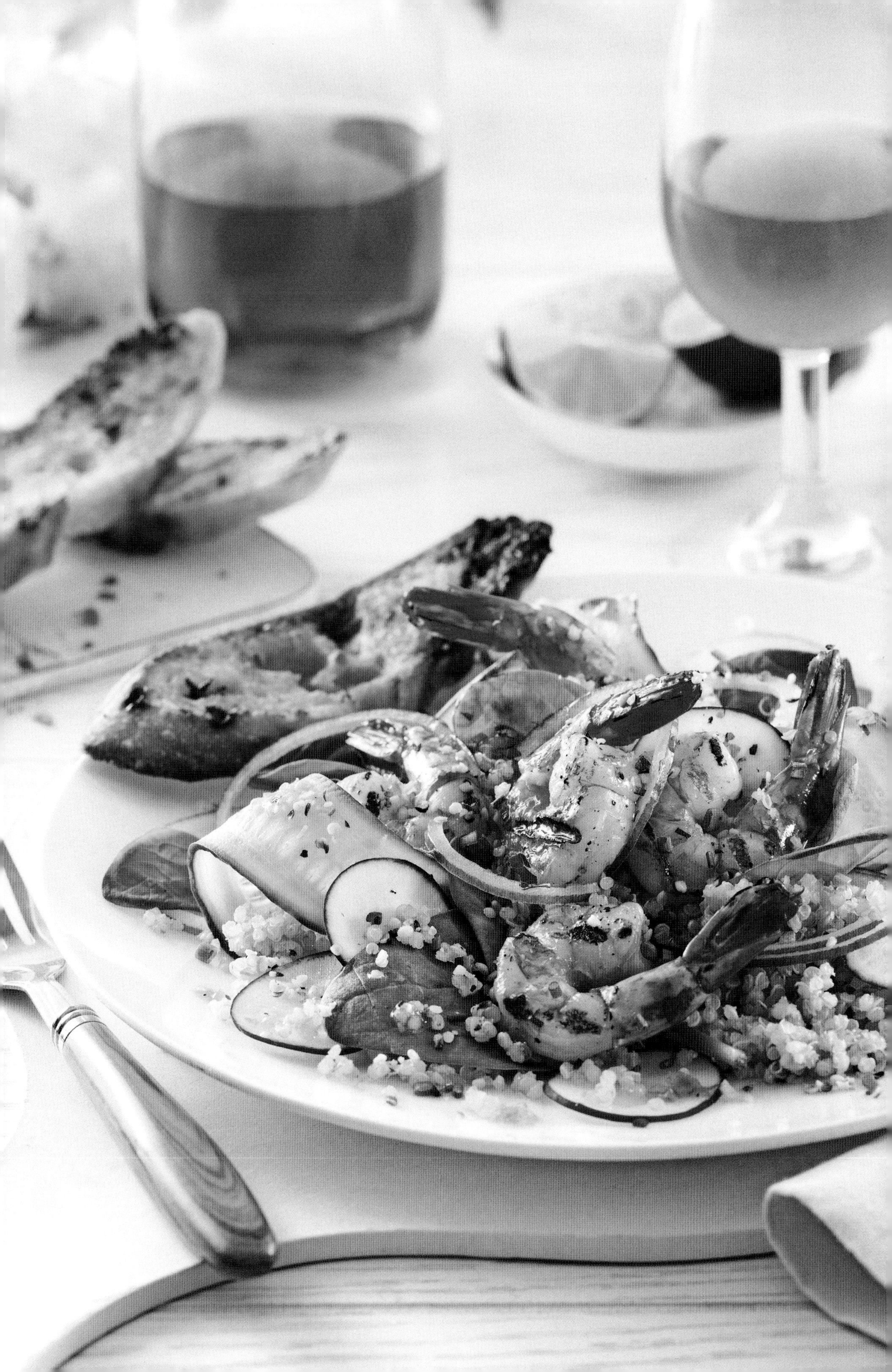

Saumon fumé au whisky

Préparation : 15 minutes – **Cuisson :** 15 minutes – **Quantité :** 4 portions

PAR PORTION	
Calories	424
Protéines	35 g
Matières grasses	23 g
Glucides	14 g
Fibres	1 g
Fer	2 mg
Calcium	50 mg
Sodium	401 mg

1	filet de saumon de 675 g (environ 1 ½ lb), la peau enlevée
30 ml	(2 c. à soupe) de whisky
125 ml	(½ tasse) de copeaux d'arbres fruitiers pour barbecue

Pour la marinade sèche :

60 ml	(¼ de tasse) de sucre d'érable
60 ml	(¼ de tasse) de persil haché
15 ml	(1 c. à soupe) de paprika
15 ml	(1 c. à soupe) de zestes de citron
5 ml	(1 c. à thé) de poivre noir italien broyé ou de poivre du moulin
5 ml	(1 c. à thé) de poudre d'oignons
2,5 ml	(½ c. à thé) de sel

—

1. Préchauffer le barbecue à puissance moyenne-élevée.

2. Dans un bol, mélanger les ingrédients de la marinade sèche.

3. Déposer le filet de saumon sur un plateau d'aluminium. Arroser le filet de whisky. Frotter la chair du saumon avec la marinade sèche.

4. Dans une assiette d'aluminium, déposer les copeaux de bois. À l'aide d'un chalumeau ou d'un briquet à barbecue, allumer les copeaux de bois. Dès qu'ils ont pris feu, ajouter d'autres copeaux pour étouffer les flammes et provoquer la fumée.

5. Éteindre l'un des brûleurs du barbecue. Déposer le plateau contenant le saumon sur la grille chaude du côté du brûleur éteint pour une cuisson indirecte. Du côté du brûleur allumé, déposer l'assiette contenant les copeaux. Fermer le couvercle et cuire de 15 à 18 minutes, sans ouvrir le couvercle, jusqu'à ce que le saumon soit cuit.

—

J'aime avec…

Oignons rouges caramélisés

Peler 4 oignons rouges et les couper en deux. Dans un bol, mélanger 60 ml (¼ de tasse) de sirop d'érable avec 5 ml (1 c. à thé) de thym haché, 2,5 ml (½ c. à thé) de poudre d'ail et 1,25 ml (¼ de c. à thé) de moutarde en poudre. Saler et poivrer. Déposer les oignons rouges sur un plateau d'aluminium, côté coupé sur le dessus. Verser la préparation au sirop d'érable sur les oignons rouges. Cuire sur la grille chaude du barbecue de 10 à 12 minutes à puissance moyenne-élevée, couvercle fermé.

Sole en papillote, tomates, olives et bocconcinis

Préparation : 20 minutes – **Cuisson :** 7 minutes – **Quantité :** 4 portions

PAR PORTION	
Calories	421
Protéines	45 g
Matières grasses	23 g
Glucides	9 g
Fibres	2 g
Fer	1 mg
Calcium	200 mg
Sodium	436 mg

8 filets de sole de 90 g (environ 3 ¼ oz) chacun

1 citron coupé en huit rondelles

Pour la garniture :

30 ml (2 c. à soupe) de persil haché

30 ml (2 c. à soupe) d'huile d'olive

15 ml (1 c. à soupe) de câpres

15 ml (1 c. à soupe) de zestes de citron

18 tomates cerises de couleurs variées coupées en deux

12 olives Kalamata

1 contenant de perles de bocconcini de 200 g

Sel et poivre au goût

—

1. Préchauffer le barbecue à puissance moyenne-élevée.

2. Dans un bol, mélanger les ingrédients de la garniture.

3. Couvrir quatre grandes feuilles de papier d'aluminium épais de quatre feuilles de papier parchemin de la même taille, puis superposer deux filets de sole au centre de chaque feuille.

4. Répartir la garniture sur les filets, puis couvrir de deux rondelles de citron. Replier les papiers d'aluminium de manière à former des papillotes hermétiques.

5. Sur la grille chaude du barbecue, déposer les papillotes. Fermer le couvercle et cuire de 7 à 8 minutes, en retournant les papillotes à mi-cuisson.

—

J'aime avec...

Couscous israélien aux fines herbes sur le barbecue

Dans un bol, mélanger 500 ml (2 tasses) de bouillon de légumes avec 45 ml (3 c. à soupe) d'origan haché, 30 ml (2 c. à soupe) de persil haché, 30 ml (2 c. à soupe) d'huile d'olive, 1 oignon haché et 15 ml (1 c. à soupe) d'ail haché. Saler et poivrer. Ajouter 250 ml (1 tasse) de couscous israélien et remuer. Transvider la préparation dans un plat d'aluminium profond. Couvrir le plat d'une feuille de papier d'aluminium et sceller hermétiquement. Cuire sur la grille chaude du barbecue de 20 à 25 minutes à puissance moyenne-élevée, couvercle fermé, en remuant la préparation à mi-cuisson, jusqu'à absorption complète du liquide.

Plateau de fruits de mer, chorizo et croûtons au basilic et citron

Préparation : 20 minutes – **Cuisson :** 6 minutes – **Quantité :** 4 portions

PAR PORTION	
Calories	532
Protéines	21 g
Matières grasses	37 g
Glucides	31 g
Fibres	3 g
Fer	2 mg
Calcium	64 mg
Sodium	606 mg

16 pétoncles moyens (calibre 20/30)

12 grosses crevettes (calibre 21/25), crues et décortiquées

1 chorizo de 100 g (3 ½ oz)

¼ de baguette de pain coupée en douze tranches biseautées

18 tomates cerises de couleurs variées coupées en deux

2 mini-concombres émincés

16 olives Kalamata

60 ml (¼ de tasse) de petites feuilles de basilic

Pour la marinade :

125 ml (½ tasse) d'huile d'olive

60 ml (¼ de tasse) de mirin

45 ml (3 c. à soupe) de persil haché

30 ml (2 c. à soupe) d'échalotes sèches (françaises) hachées

30 ml (2 c. à soupe) de basilic haché

30 ml (2 c. à soupe) de jus de citron

15 ml (1 c. à soupe) de zestes de citron

15 ml (1 c. à soupe) d'ail haché

Sel et poivre au goût

—

1. Préchauffer le barbecue à puissance moyenne-élevée.

2. Dans un bol, fouetter les ingrédients de la marinade. Transférer le tiers de la marinade dans un autre bol, puis y ajouter les pétoncles et les crevettes. Remuer pour les enrober de marinade. Réserver le reste de la marinade au frais.

3. Déposer les fruits de mer avec la marinade au centre d'une feuille de papier d'aluminium épais, puis replier le papier d'aluminium de manière à former une papillote hermétique.

4. Sur la grille chaude du barbecue, déposer la papillote et le chorizo. Fermer le couvercle, puis cuire la papillote et le chorizo de 3 à 4 minutes de chaque côté.

5. Badigeonner les tranches de pain avec le tiers de la marinade restante. Sur la grille chaude du barbecue, faire griller les tranches de pain 30 secondes de chaque côté.

6. Émincer le chorizo.

7. Dans un grand bol, mélanger les fruits de mer avec les tomates cerises, le chorizo, les mini-concombres et les olives. Arroser du reste de la marinade et parsemer de feuilles de basilic. Servir avec les croûtons.

—

J'aime parce que...

On profite du barbecue à fond !

Rien de mieux que cette belle grosse assiette à partager remplie de délices sur le gril pour profiter de l'été au maximum ! Assez simple pour les soirs de semaine où l'on veut étirer les beaux moments sur la terrasse, mais suffisamment chic et festive pour impressionner les convives, cette recette haute en couleur a tout pour plaire. Et si vous n'avez jamais fait de croûtons sur le gril, il est fort à parier que vous tomberez sous le charme !

PAR PORTION	
Calories	773
Protéines	34 g
Matières grasses	46 g
Glucides	55 g
Fibres	3 g
Fer	4 mg
Calcium	252 mg
Sodium	1 152 mg

Guédilles au homard

Préparation: 15 minutes – **Cuisson**: 2 minutes – **Quantité**: 4 portions

2	branches de céleri coupées en dés
1	petit oignon rouge haché
2	mini-concombres coupés en dés
450 g	(1 lb) de chair de homard coupée en gros morceaux
8	pains à hot-dog
80 ml	(⅓ de tasse) de beurre ramolli
8 à 10	feuilles de laitue Boston

Pour la sauce:

125 ml	(½ tasse) de mayonnaise
80 ml	(⅓ de tasse) de crème sure 14 %
30 ml	(2 c. à soupe) d'aneth haché
30 ml	(2 c. à soupe) de persil haché
15 ml	(1 c. à soupe) de miel
	Sel et poivre au goût

—

1. Dans un bol, mélanger les ingrédients de la sauce.

2. Ajouter le céleri, l'oignon rouge, les mini-concombres et la chair de homard dans le bol. Remuer.

3. Préchauffer le barbecue à puissance moyenne-élevée.

4. Tartiner l'extérieur des pains de beurre.

5. Sur la grille chaude et huilée du barbecue, faire griller les pains 1 minute de chaque côté.

6. Garnir les pains de laitue et de préparation au homard.

—

PAR PORTION	
Calories	217
Protéines	15 g
Matières grasses	11 g
Glucides	16 g
Fibres	3 g
Fer	2 mg
Calcium	112 mg
Sodium	148 mg

Salade tiède de pétoncles

Préparation: 20 minutes – **Marinage**: 15 minutes – **Cuisson**: 4 minutes
Quantité: 4 portions

20 pétoncles moyens (calibre 20/30)
1 contenant de mélange de laitues printanier de 142 g
3 mini-concombres coupés en fins rubans

Pour la marinade:

45 ml (3 c. à soupe) d'huile d'olive
30 ml (2 c. à soupe) d'origan haché
30 ml (2 c. à soupe) de menthe hachée
30 ml (2 c. à soupe) de persil haché
30 ml (2 c. à soupe) de yogourt nature 0 %
15 ml (1 c. à soupe) d'ail haché
15 ml (1 c. à soupe) de thym haché
15 ml (1 c. à soupe) de miel
15 ml (1 c. à soupe) de grains de coriandre écrasés
2 citrons (jus et zeste)
Sel et poivre au goût

—

1. Dans un bol, mélanger les ingrédients de la marinade.

2. Ajouter les pétoncles et remuer pour bien les enrober de marinade. Couvrir et laisser mariner au frais de 15 à 30 minutes.

3. Au moment de la cuisson, préchauffer le barbecue à puissance moyenne-élevée.

4. Déposer les pétoncles et la marinade sur une grande feuille de papier d'aluminium épais. Replier le papier d'aluminium de manière à former une papillote hermétique.

5. Sur la grille chaude du barbecue, déposer la papillote. Fermer le couvercle et cuire de 4 à 5 minutes, jusqu'à ce que la papillote soit gonflée. Retirer du barbecue et laisser tiédir.

6. Dans quatre assiettes creuses, répartir le mélange de laitues. Garnir de rubans de concombres, de pétoncles et de marinade.

—

PAR PORTION	
Calories	535
Protéines	34 g
Matières grasses	25 g
Glucides	48 g
Fibres	6 g
Fer	4 mg
Calcium	148 mg
Sodium	1 037 mg

Burger style *crab cake* aux crevettes nordiques

Préparation: 15 minutes – **Cuisson**: 6 minutes – **Quantité**: 4 portions

1	petit oignon rouge coupé en quatre rondelles
4	pains à hamburger
1	avocat coupé en quartiers
¼	de concombre coupé en rubans
100 g	(166 ml) de crevettes nordiques

Pour la sauce:

60 ml	(¼ de tasse) de yogourt grec nature 0%
60 ml	(¼ de tasse) de mayonnaise
30 ml	(2 c. à soupe) de basilic émincé
2,5 ml	(½ c. à thé) de cari
	Sel et poivre au goût

Pour les galettes:

300 g	(500 ml) de crevettes nordiques
160 ml	(⅔ de tasse) de chapelure panko
150 g	(⅓ de lb) de tofu ferme
15 ml	(1 c. à soupe) de zestes de citron
5 ml	(1 c. à thé) d'ail haché
3	oignons verts hachés
1	blanc d'œuf
	Sel et poivre au goût

—

1. Préchauffer le barbecue à puissance moyenne-élevée.

2. Dans un bol, mélanger les ingrédients de la sauce. Réserver au frais.

3. Dans le contenant du robot culinaire, déposer les ingrédients des galettes. Mélanger jusqu'à l'obtention d'une préparation homogène.

4. Façonner quatre galettes avec la préparation aux crevettes.

5. Sur la grille chaude et huilée du barbecue, déposer les galettes. Fermer le couvercle et cuire de 3 à 4 minutes de chaque côté.

6. Sur la grille chaude et huilée, faire griller l'oignon rouge 1 minute de chaque côté.

7. Faire griller les pains 30 secondes sur la grille supérieure du barbecue.

8. Garnir les pains d'une galette, d'oignon rouge, d'avocat, de rubans de concombre, de crevettes et de sauce.

—

PAR PORTION	
Calories	160
Protéines	17 g
Matières grasses	9 g
Glucides	3 g
Fibres	1 g
Fer	1 mg
Calcium	77 mg
Sodium	666 mg

Brochettes de crevettes avec beurre citronné à l'ail

Préparation: 10 minutes – **Cuisson**: 2 minutes – **Quantité**: 4 portions

450 g	(1 lb) de crevettes moyennes (calibre 31/40), crues et décortiquées
	Sel et poivre au goût
45 ml	(3 c. à soupe) de beurre
4	gousses d'ail émincées
1	citron (zeste et jus)
45 ml	(3 c. à soupe) de persil haché
1	pincée de flocons de piment

—

1. Préchauffer le barbecue à puissance moyenne-élevée.

2. Piquer les crevettes sur des brochettes. Saler et poivrer.

3. Dans un bol, faire fondre le beurre au micro-ondes quelques secondes.

4. Ajouter l'ail, le zeste, le jus de citron, le persil et les flocons de piment dans le bol. Remuer. Badigeonner les crevettes avec le beurre citronné à l'ail.

5. Sur la grille chaude et huilée du barbecue, cuire les brochettes 1 minute de chaque côté.

—

PAR PORTION	
Calories	484
Protéines	48 g
Matières grasses	23 g
Glucides	21 g
Fibres	6 g
Fer	4 mg
Calcium	94 mg
Sodium	151 mg

Thon grillé au pesto de roquette et papillote de légumes

Préparation: 15 minutes – **Cuisson**: 22 minutes – **Quantité**: 4 portions

30 ml	(2 c. à soupe) de pesto de roquette (de type Sardo)
15 ml	(1 c. à soupe) de miel
2,5 ml	(½ c. à thé) de piment d'Espelette
15 ml	(1 c. à soupe) de jus de lime
4	steaks de thon de 180 g (environ ⅓ de lb) chacun et de 2 cm (¾ de po) d'épaisseur
	Sel au goût

Pour la papillote de légumes:

30 ml	(2 c. à soupe) de tahini (beurre de sésame)
15 ml	(1 c. à soupe) de zestes de citron
30 ml	(2 c. à soupe) d'huile d'olive
30 ml	(2 c. à soupe) de persil haché
	Sel et poivre au goût
2	carottes émincées
½	chou-fleur taillé en bouquets
200 g	(environ ½ lb) de pois sucrés

—

1. Préchauffer le barbecue à puissance moyenne-élevée.

2. Dans un bol, mélanger le tahini avec les zestes de citron, l'huile d'olive et le persil. Saler et poivrer.

3. Ajouter les carottes, le chou-fleur et les pois sucrés dans le bol. Remuer.

4. Déposer les légumes sur une feuille de papier d'aluminium, puis la replier de manière à former une papillote hermétique.

5. Sur la grille chaude du barbecue, déposer la papillote. Fermer le couvercle et cuire de 20 à 25 minutes.

6. Dans un autre bol, mélanger le pesto avec le miel, le piment d'Espelette et le jus de lime.

7. Badigeonner les deux côtés des steaks de thon avec la préparation au pesto. Saler.

8. Sur la grille chaude et huilée du barbecue, déposer les steaks de thon. Fermer le couvercle et cuire de 1 à 2 minutes de chaque côté. Servir avec la papillote de légumes.

—

PAR PORTION	
Calories	312
Protéines	19 g
Matières grasses	25 g
Glucides	2 g
Fibres	1 g
Fer	0 mg
Calcium	57 mg
Sodium	737 mg

Homard grillé aux herbes salées

Préparation: 15 minutes – **Cuisson**: 8 minutes – **Quantité**: 4 portions

4	homards de 450 g (1 lb) chacun
125 ml	(½ tasse) de beurre non salé fondu
15 ml	(1 c. à soupe) de jus de citron
30 ml	(2 c. à soupe) d'herbes salées
5 ml	(1 c. à thé) de piment d'Espelette

—

1. Préchauffer le barbecue à puissance moyenne-élevée.

2. Dans une grande casserole d'eau bouillante salée pouvant contenir les homards, cuire les homards 5 minutes. Égoutter et réserver.

3. Dans un bol, mélanger le beurre fondu avec le jus de citron, les herbes salées et le piment d'Espelette.

4. Couper les homards en deux sur la longueur.

5. Sur la grille chaude et huilée du barbecue, déposer les demi-homards, carapace vers le haut. Cuire de 1 à 2 minutes.

6. Retourner les homards, puis badigeonner la chair avec un peu de beurre parfumé. Fermer le couvercle et poursuivre la cuisson de 2 à 3 minutes.

7. Servir les homards avec le reste du beurre parfumé.

—

PAR PORTION	
Calories	591
Protéines	36 g
Matières grasses	38 g
Glucides	20 g
Fibres	3 g
Fer	2 mg
Calcium	76 mg
Sodium	186 mg

Brochettes de saumon, fenouil et oignon

Préparation: 25 minutes – **Trempage (facultatif)**: 30 minutes – **Marinage**: 15 minutes
Cuisson: 6 minutes – **Quantité**: 4 portions

675 g (environ 1 ½ lb) de filet de saumon, la peau enlevée et coupé en cubes
1 bulbe de fenouil coupé en cubes
1 petit oignon rouge coupé en cubes

Pour la marinade:

125 ml (½ tasse) de vin blanc
60 ml (¼ de tasse) d'échalotes sèches (françaises) hachées
45 ml (3 c. à soupe) d'huile d'olive
45 ml (3 c. à soupe) de basilic haché
30 ml (2 c. à soupe) de miel
30 ml (2 c. à soupe) de vinaigre balsamique blanc
30 ml (2 c. à soupe) de pesto aux tomates séchées
15 ml (1 c. à soupe) d'origan haché
15 ml (1 c. à soupe) d'ail haché
10 ml (2 c. à thé) de romarin haché
Sel et poivre au goût

—

1. Si les brochettes utilisées sont en bambou, les faire tremper dans l'eau environ 30 minutes avant la cuisson.

2. Dans un bol, mélanger les ingrédients de la marinade. Transférer la moitié de la marinade dans un autre bol, puis y ajouter les cubes de saumon, de fenouil et d'oignon rouge. Remuer. Couvrir et laisser mariner au frais de 15 à 30 minutes. Réserver le reste de la marinade au frais.

3. Au moment de la cuisson, préchauffer le barbecue à puissance moyenne-élevée.

4. Sur quatre brochettes, piquer les cubes de saumon, de fenouil et d'oignon rouge en les faisant alterner.

5. Sur la grille chaude et huilée du barbecue, déposer les brochettes. Fermer le couvercle et cuire les brochettes de 6 à 8 minutes en les retournant quelques fois et en les badigeonnant de la marinade réservée.

—

PAR PORTION	
Calories	556
Protéines	38 g
Matières grasses	37 g
Glucides	21 g
Fibres	4 g
Fer	1 mg
Calcium	85 mg
Sodium	590 mg

Pavés de saumon à l'orange, citron et gingembre

Préparation: 20 minutes – **Marinage**: 3 heures – **Cuisson**: 12 minutes – **Quantité**: 4 portions

1	orange
1	citron
4	pavés de saumon de 180 g (environ ⅓ de lb) chacun, la peau enlevée

Pour la sauce:

180 ml	(¾ de tasse) de mayonnaise légère
45 ml	(3 c. à soupe) ciboulette hachée
15 ml	(1 c. à soupe) de moutarde à l'ancienne
15 ml	(1 c. à soupe) de gingembre haché
15 ml	(1 c. à soupe) de sirop d'érable
2,5 ml	(½ c. à thé) de poudre d'oignons
1,25 ml	(¼ de c. à thé) de poudre d'ail
	Sel et poivre au goût

—

1. Dans un bol, mélanger les ingrédients de la sauce.

2. Couper chacun des agrumes en huit tranches.

3. Badigeonner les deux côtés des pavés de saumon avec la moitié de la sauce. Réserver le reste de la sauce au frais.

4. Au fond d'un grand sac hermétique, déposer un pavé de saumon. Sur le pavé, déposer deux tranches de citron et deux tranches d'orange en les alternant et en les faisant se chevaucher légèrement. Répéter avec le reste des tranches d'agrumes et des pavés de saumon. Sceller le sac et laisser mariner de 3 à 6 heures au frais.

5. Au moment de la cuisson, préchauffer le barbecue à puissance moyenne-élevée.

6. Égoutter les pavés de saumon et jeter la marinade ainsi que les tranches d'agrumes.

7. Sur la grille chaude et huilée du barbecue, déposer les pavés de saumon. Fermer le couvercle et cuire de 12 à 15 minutes, en retournant les pavés à mi-cuisson. Servir avec la sauce réservée.

—

Grillades végé exquises

Même si on associe souvent la viande rouge et la volaille à la cuisson sur le gril, les protéines végétales n'ont rien à leur envier quand vient le temps de régaler toute la tablée ! Brochettes de tofu grillé miel et ail, pizza margarita, burger végé teriyaki, brochettes de boulettes aux haricots... Même les carnivores dans l'âme seront confondus !

Brochettes de tofu grillé miel et ail

Préparation: 15 minutes – **Trempage (facultatif)**: 30 minutes – **Marinage**: 15 minutes
Cuisson: 4 minutes – **Quantité**: 4 portions

PAR PORTION	
Calories	176
Protéines	18 g
Matières grasses	8 g
Glucides	26 g
Fibres	1 g
Fer	2 mg
Calcium	195 mg
Sodium	707 mg

- 60 ml (¼ de tasse) de miel
- 45 ml (3 c. à soupe) de sauce soya
- 20 ml (4 c. à thé) d'ail haché
- 1 bloc de tofu extra-ferme de 454 g, coupé en cubes
- 1 poivron rouge coupé en cubes
- 1 petit oignon rouge coupé en quartiers
- 30 ml (2 c. à soupe) de feuilles de coriandre

—

1. Si les brochettes utilisées sont en bambou, les faire tremper dans l'eau environ 30 minutes avant la cuisson.

2. Dans un plat creux, mélanger le miel avec la sauce soya et l'ail. Ajouter le tofu, le poivron et l'oignon rouge. Remuer pour bien enrober les aliments de marinade. Couvrir et laisser mariner 15 minutes au frais, idéalement 8 heures.

3. Au moment de la cuisson, préchauffer le barbecue à puissance moyenne-élevée.

4. Égoutter le tofu, le poivron et l'oignon rouge en prenant soin de réserver la marinade.

5. Piquer les cubes de tofu, les cubes de poivron et les quartiers d'oignon rouge sur des brochettes, en les faisant alterner.

6. Sur la grille chaude et huilée du barbecue, déposer les brochettes. Fermer le couvercle et cuire les brochettes de 4 à 5 minutes, en les retournant de temps en temps et en les badigeonnant d'un peu de marinade.

7. Au moment de servir, garnir de feuilles de coriandre.

—

Salade de riz

Dans un saladier, fouetter 45 ml (3 c. à soupe) d'huile de tournesol avec 30 ml (2 c. à soupe) de jus d'orange et 15 ml (1 c. à soupe) de sauce soya. Ajouter 500 ml (2 tasses) de riz basmati cuit, 250 ml (1 tasse) de fèves germées, 250 ml (1 tasse) de bébés épinards, 1 poivron jaune coupé en dés et 60 ml (¼ de tasse) d'oignons verts hachés. Saler, poivrer et remuer.

Burger végé teriyaki

Préparation : 20 minutes – **Réfrigération :** 10 minutes
Cuisson : 8 minutes – **Quantité :** 4 portions

PAR PORTION	
Calories	679
Protéines	26 g
Matières grasses	32 g
Glucides	80 g
Fibres	10 g
Fer	9 mg
Calcium	338 mg
Sodium	809 mg

- 1 mangue pelée et coupée en huit tranches
- 8 shiitakes, pieds enlevés
- 4 pains à hamburger au sésame
- 500 ml (2 tasses) de feuilles de bébé chou frisé
- 1 tomate coupée en rondelles

Pour les galettes :

- 1 bloc de tofu ferme de 350 g
- 250 ml (1 tasse) de pois chiches, rincés et égouttés
- 125 ml (½ tasse) de flocons d'avoine à cuisson rapide
- 60 ml (¼ de tasse) d'échalotes sèches (françaises) hachées
- 30 ml (2 c. à soupe) de sauce teriyaki épaisse
- 30 ml (2 c. à soupe) de coriandre hachée
- 15 ml (1 c. à soupe) de gingembre haché
- 15 ml (1 c. à soupe) de beurre d'arachide croquant
- 1 piment thaï haché (facultatif)
- Sel et poivre au goût

Pour la sauce :

- 80 ml (⅓ de tasse) de mayonnaise
- 60 ml (¼ de tasse) de mayonnaise au sésame (de type Wafu)
- 30 ml (2 c. à soupe) de coriandre hachée
- 15 ml (1 c. à soupe) de sauce teriyaki
- 2,5 ml (½ c. à thé) de piment thaï haché

—

1. Dans le contenant du robot culinaire, mélanger les ingrédients des galettes.

2. Façonner quatre galettes avec la préparation. Réserver de 10 à 15 minutes au frais.

3. Au moment de la cuisson, préchauffer le barbecue à puissance moyenne-élevée.

4. Dans un bol, mélanger les ingrédients de la sauce. Réserver au frais.

5. Sur la grille chaude et huilée du barbecue, déposer les galettes. Fermer le couvercle et cuire de 4 à 5 minutes de chaque côté.

6. Sur la grille chaude, déposer les tranches de mangue et les shiitakes. Cuire de 2 à 3 minutes de chaque côté.

7. Diviser les pains en deux et les faire griller 1 minute sur la grille supérieure du barbecue.

8. Tartiner les pains avec la sauce, puis les garnir de feuilles de bébé chou frisé, d'une galette de tofu, de tranches de tomate, de mangue et de shiitakes.

—

J'aime parce que...

Enfin une galette végé qui se tient !

Vous aimez les burgers 100 % végé ? Vous adorerez ces galettes sans viande qui se laissent griller sans souci sur le barbecue ! La préparation à base de tofu ferme, de pois chiches, de flocons d'avoine et de beurre d'arachide est assez dense pour bien tenir pendant la cuisson. Petit truc : pressez le tofu avec vos mains afin de retirer un maximum d'eau, puis épongez-le avant de l'intégrer au mélange. Réfrigérer ce dernier quelques minutes vous aidera aussi à façonner des galettes plus solides.

Portobellos farcis style parmigiana

Préparation: 15 minutes – **Cuisson**: 10 minutes – **Quantité**: 4 portions

PAR PORTION	
Calories	429
Protéines	15 g
Matières grasses	35 g
Glucides	20 g
Fibres	5 g
Fer	1 mg
Calcium	157 mg
Sodium	160 mg

- 4 gros champignons portobello entiers
- 45 ml (3 c. à soupe) d'huile d'olive
- 16 tomates cerises coupées en deux
- 80 ml (⅓ de tasse) d'échalotes sèches (françaises) hachées
- 15 ml (1 c. à soupe) de basilic haché
- 10 ml (2 c. à thé) d'ail haché
- 180 ml (¾ de tasse) de mini-bocconcinis
- Sel et poivre au goût
- 80 ml (⅓ de tasse) de chapelure panko
- 125 ml (½ tasse) de noix de Grenoble hachées finement
- 45 ml (3 c. à soupe) de parmesan râpé
- 30 ml (2 c. à soupe) de beurre fondu

—

1. Préchauffer le barbecue à puissance moyenne-élevée.

2. Retirer le pied des portobellos. À l'aide d'une cuillère, retirer les lamelles à l'intérieur des portobellos.

3. Badigeonner les portobellos de la moitié de l'huile d'olive.

4. Sur la grille chaude et huilée du barbecue, déposer les portobellos. Fermer le couvercle et cuire 2 minutes de chaque côté.

5. Dans un bol, mélanger l'huile restante avec les tomates cerises, les échalotes, le basilic, l'ail et les mini-bocconcinis. Saler et poivrer.

6. Dans un autre bol, mélanger la chapelure avec les noix, le parmesan et le beurre.

7. Retirer les portobellos du barbecue. Garnir de préparation aux tomates, puis couvrir du mélange de chapelure. Poursuivre la cuisson au barbecue de 6 à 8 minutes.

—

J'aime parce que...

C'est tellement original !

On connaît tous les champignons farcis, ces petites bouchées qui partent si vite dans les repas-partage. Ici, on reprend le principe avec des portobellos, ces champignons de très grande taille, et on remplit leur cavité d'un délicieux mélange de bocconcinis et de tomates cerises. Pour ajouter un petit côté croustillant, on couvre le tout d'un mélange de chapelure et de noix de Grenoble. Attendez-vous à devoir partager la recette !

Salade de légumes grillés et quinoa

Préparation : 15 minutes – **Cuisson :** 13 minutes – **Quantité :** 4 portions

PAR PORTION	
Calories	423
Protéines	12 g
Matières grasses	18 g
Glucides	59 g
Fibres	7 g
Fer	3 mg
Calcium	55 mg
Sodium	1 038 mg

500 ml	(2 tasses) de bouillon de poulet
250 ml	(1 tasse) de quinoa, rincé et égoutté
2	épis de maïs épluchés
2	courgettes coupées en tranches
2	poivrons de couleurs variées coupés en deux
1	petit oignon rouge coupé en quartiers
30 ml	(2 c. à soupe) de basilic haché
	Sel et poivre au goût

Pour la vinaigrette :

60 ml	(¼ de tasse) d'huile d'olive
30 ml	(2 c. à soupe) de vinaigre balsamique blanc
20 ml	(4 c. à thé) de miel
15 ml	(1 c. à soupe) d'assaisonnements à salade

—

1. Préchauffer le barbecue à puissance moyenne-élevée.

2. Dans une casserole, porter à ébullition le bouillon de poulet. Ajouter le quinoa, puis couvrir et laisser mijoter de 13 à 15 minutes à feu doux, jusqu'à absorption complète du liquide. Retirer du feu et laisser reposer 5 minutes avant de remuer à l'aide d'une fourchette. Laisser tiédir.

3. Pendant ce temps, mélanger les ingrédients de la vinaigrette dans un bol, puis en badigeonner les épis.

4. Dans un autre bol, transvider la moitié de la vinaigrette restante. Ajouter les courgettes, les poivrons et l'oignon rouge. Remuer.

5. Sur la grille chaude et huilée du barbecue, déposer les épis de maïs. Fermer le couvercle et cuire de 8 à 12 minutes, en retournant les épis régulièrement.

6. Sur la grille chaude et huilée, cuire les poivrons et l'oignon rouge de 2 à 3 minutes de chaque côté. Cuire les courgettes 1 minute de chaque côté.

7. Égrainer grossièrement les épis de maïs. Émincer les courgettes, les poivrons et l'oignon rouge.

8. Dans un saladier, mélanger le quinoa avec le reste de la vinaigrette, les légumes grillés et le basilic. Saler et poivrer.

—

Transformer cette salade en repas !

Un repas devrait contenir au minimum 15 g de protéines pour être suffisamment rassasiant. Pour augmenter la teneur en protéines de cette salade colorée, vous pouvez par exemple y ajouter des noix, des cubes de fromage halloumi ou des lanières de poulet cuits sur le gril, ou encore des œufs cuits dur ! Les légumineuses, la feta et les bocconcinis peuvent aussi très bien se marier à l'ensemble.

Brochettes de boulettes aux haricots

Préparation: 20 minutes – **Trempage (facultatif)**: 30 minutes
Cuisson: 17 minutes – **Quantité**: 4 portions

PAR PORTION	
Calories	556
Protéines	23 g
Matières grasses	21 g
Glucides	71 g
Fibres	15 g
Fer	6 mg
Calcium	103 mg
Sodium	942 mg

Pour les boulettes:

- 680 ml (2 ¾ tasses) de haricots rouges, rincés et égouttés
- 280 ml (1 tasse + 2 c. à soupe) de poudre d'amandes
- 160 ml (⅔ de tasse) de farine
- 30 ml (2 c. à soupe) de sauce soya
- 15 ml (1 c. à soupe) de paprika fumé doux
- 10 ml (2 c. à thé) de poudre d'oignons
- Sel et poivre au goût

Pour la sauce barbecue:

- 15 ml (1 c. à soupe) d'huile d'olive
- 1 oignon haché
- 10 ml (2 c. à thé) d'ail haché
- 250 ml (1 tasse) de sauce tomate
- 80 ml (⅓ de tasse) de bouillon de légumes
- 80 ml (⅓ de tasse) de ketchup
- 30 ml (2 c. à soupe) de sirop d'érable
- 30 ml (2 c. à soupe) de whisky
- 15 ml (1 c. à soupe) de vinaigre de cidre
- 2 à 3 gouttes de fumée liquide (de type Woodland)
- Sel et poivre au goût

—

1. Si les brochettes utilisées sont en bambou, les faire tremper dans l'eau environ 30 minutes avant la cuisson.

2. Au moment de la cuisson, chauffer l'huile d'olive à feu moyen dans une casserole. Cuire l'oignon et l'ail de 1 à 2 minutes.

3. Ajouter le reste des ingrédients de la sauce barbecue et remuer. Laisser mijoter de 8 à 10 minutes à feu moyen.

4. Préchauffer le barbecue à puissance moyenne-élevée.

5. Dans le contenant du robot culinaire, déposer les haricots rouges. Mélanger quelques secondes, jusqu'à l'obtention d'une texture grossière.

6. Ajouter le reste des ingrédients des boulettes. Mélanger de nouveau jusqu'à l'obtention d'une préparation homogène.

7. Façonner 24 boulettes avec la préparation aux haricots.

8. Piquer les boulettes sur les brochettes.

9. Sur la grille chaude et huilée du barbecue, déposer les brochettes. Fermer le couvercle et cuire de 4 à 5 minutes, en retournant les brochettes à mi-cuisson.

10. Badigeonner les brochettes d'un peu de sauce barbecue. Fermer le couvercle et poursuivre la cuisson de 4 à 5 minutes, en retournant les brochettes de temps en temps. Servir avec la sauce barbecue restante.

—

Endives grillées

Couper 4 endives en deux sur la longueur. Dans un bol, mélanger 30 ml (2 c. à soupe) d'huile d'olive avec 15 ml (1 c. à soupe) de vinaigre de vin blanc et 15 ml (1 c. à soupe) de sirop d'érable. Saler et poivrer. Badigeonner les endives d'huile parfumée. Cuire les endives sur la grille chaude et huilée du barbecue à puissance moyenne-élevée de 2 à 3 minutes de chaque côté, couvercle fermé, jusqu'à ce qu'elles soient légèrement grillées.

PAR PORTION	
Calories	211
Protéines	15 g
Matières grasses	15 g
Glucides	6 g
Fibres	2 g
Fer	1 mg
Calcium	415 mg
Sodium	940 mg

Salade de halloumi grillé et tomates cerises

Préparation: 10 minutes – **Temps de repos**: 10 minutes – **Cuisson**: 10 minutes
Quantité: 4 portions

250 g	(environ ½ lb) de halloumi (fromage à griller de type Doré-mi) coupé en tranches épaisses
20	tomates cerises de couleurs variées coupées en deux
15 ml	(1 c. à soupe) d'huile d'olive
	Quelques feuilles de basilic
	Sel et poivre au goût
1 litre	(4 tasses) de mélange de laitues printanier

—

1. Préchauffer le barbecue à puissance moyenne.

2. Déposer les tranches de fromage dans un bol rempli d'eau. Laisser reposer 10 minutes.

3. Bien égoutter le fromage, puis l'éponger à l'aide de papier absorbant.

4. Au centre d'une feuille de papier d'aluminium, déposer les tomates cerises. Arroser de 5 ml (1 c. à thé) d'huile d'olive, puis garnir de deux feuilles de basilic. Saler et poivrer. Replier la feuille de papier d'aluminium de manière à former une papillote hermétique.

5. Sur la grille chaude et huilée du barbecue, déposer les tranches de fromage et la papillote. Fermer le couvercle et cuire 10 minutes, en retournant les tranches de fromage à mi-cuisson.

6. Dans un saladier, mélanger les tomates cerises rôties avec le mélange de laitues, le reste de l'huile et quelques feuilles de basilic.

7. Répartir la salade dans les assiettes, puis garnir chaque portion de tranches de fromage halloumi.

—

Recette de Ève Godin, nutritionniste

PAR PORTION	
Calories	591
Protéines	23 g
Matières grasses	26 g
Glucides	64 g
Fibres	3 g
Fer	4 mg
Calcium	233 mg
Sodium	595 mg

Pizza margarita

Préparation: 15 minutes – **Cuisson**: 18 minutes – **Quantité**: 2 portions (1 pizza de 25 cm – 10 po)

- 1 boule de pâte à pizza de 250 g (environ ½ lb)
- 125 ml (½ tasse) de sauce à pizza
- 2 tomates italiennes tranchées
- 4 champignons émincés
- 1 gousse d'ail émincée
- ½ paquet de mozzarella fraîche de 250 g, égouttée et émincée
- 15 ml (1 c. à soupe) d'huile d'olive
- 8 feuilles de basilic
- Poivre au goût

—

1. Préchauffer le barbecue à puissance moyenne-élevée.

2. Huiler une poêle en fonte de 25 cm (10 po), puis y étaler la pâte à pizza.

3. Déposer la poêle sur la grille chaude du barbecue. Fermer le couvercle et cuire de 4 à 5 minutes.

4. Retourner la pâte, puis cuire 2 minutes.

5. Retirer du barbecue, puis répartir la sauce sur la pâte en gardant un pourtour libre de 1 cm (½ po). Garnir de tomates, de champignons, d'ail et de mozzarella. Arroser d'un filet d'huile d'olive.

6. Remettre la poêle sur la grille chaude du barbecue. Fermer le couvercle et cuire de 12 à 15 minutes, en vérifiant régulièrement la cuisson pour éviter que le dessous de la pizza ne brûle, jusqu'à ce que la pâte soit croustillante.

7. Au moment de servir, parsemer de feuilles de basilic et poivrer.

—

PAR PORTION	
Calories	436
Protéines	17 g
Matières grasses	24 g
Glucides	43 g
Fibres	5 g
Fer	3 mg
Calcium	142 mg
Sodium	557 mg

Wraps au houmous et légumes grillés

Préparation: 15 minutes – **Cuisson**: 4 minutes – **Quantité**: 4 portions

1	poivron rouge
1	petit oignon rouge
2	courgettes
15 ml	(1 c. à soupe) d'huile d'olive
	Sel et poivre au goût
4	grandes tortillas
250 ml	(1 tasse) de houmous aux poivrons rôtis
375 ml	(1 ½ tasse) de mélange de fromages râpés de type tex-mex
60 ml	(¼ de tasse) de feuilles de coriandre

—

1. Préchauffer le barbecue à puissance moyenne-élevée.

2. Couper le poivron et l'oignon rouge en quartiers. Couper les courgettes en tranches sur la longueur.

3. Arroser les légumes d'un filet d'huile d'olive. Saler et poivrer.

4. Sur la grille chaude et huilée du barbecue, déposer le poivron et l'oignon rouge. Fermer le couvercle et cuire de 2 à 3 minutes de chaque côté.

5. Déposer les tranches de courgettes sur la grille chaude et huilée, puis les cuire 1 minute de chaque côté.

6. Faire griller les tortillas sur la grille chaude du barbecue de 15 à 20 secondes de chaque côté.

7. Retirer les légumes grillés du barbecue, puis les émincer.

8. Garnir les tortillas de houmous, de légumes grillés, de fromage et de coriandre. Rouler les tortillas.

—

PAR PORTION	
Calories	221
Protéines	17 g
Matières grasses	15 g
Glucides	22 g
Fibres	2 g
Fer	3 mg
Calcium	204 mg
Sodium	144 mg

Tofu grillé à la salsa de mangue

Préparation : 25 minutes – **Marinage :** 15 minutes – **Cuisson :** 2 minutes – **Quantité :** 4 portions

- 1 bloc de tofu ferme de 454 g, coupé en huit tranches
- 1 mangue
- ½ poivron rouge

Pour la marinade :

- 45 ml (3 c. à soupe) de coriandre hachée
- 30 ml (2 c. à soupe) de cassonade
- 30 ml (2 c. à soupe) de jus de lime
- 30 ml (2 c. à soupe) d'huile de sésame (non grillé)
- 15 ml (1 c. à soupe) d'ail haché
- 15 ml (1 c. à soupe) de gingembre haché
- 15 ml (1 c. à soupe) de zestes de lime
- 5 ml (1 c. à thé) de sauce de poisson
- 3 oignons verts hachés
- 2 tiges de citronnelle, partie blanche hachée
- 1 piment thaï haché
- Sel au goût

—

1. Dans un bol, mélanger les ingrédients de la marinade.

2. Déposer les tranches de tofu dans un plat creux. Badigeonner les deux côtés des tranches de tofu de la moitié de la marinade. Laisser mariner au frais de 15 à 30 minutes, idéalement de 6 à 8 heures. Réserver le reste de la marinade au frais.

3. Au moment de la cuisson, préchauffer le barbecue à puissance moyenne-élevée.

4. Égoutter le tofu et jeter la marinade.

5. Couper la mangue et le poivron en dés.

6. Ajouter les dés de mangue et de poivron dans le bol contenant la marinade réservée. Remuer.

7. Sur la grille chaude et huilée du barbecue, cuire les tranches de tofu de 1 à 2 minutes de chaque côté. Servir avec la salsa de mangue.

—

Encore meilleur avec du bacon !

Ah, le fameux bacon ! On l'aime partout, même sur le gril ! Car disons-le, des pièces de viande ou de volaille bardées ou rehaussées de bacon, c'est un pur bonheur pour les papilles ! Voici un aperçu des recettes décadentes présentées ici : pétoncles bardés de bacon, hot-dog texan (avec saucisses enroulées de bacon), cheeseburger double extra bacon... De tout pour devenir le maître du gril... et du bacon !

Filet mignon à la bière noire, salsa de maïs et bacon

Préparation : 20 minutes – **Marinage :** 6 heures – **Cuisson :** 8 minutes
Quantité : 4 portions

PAR PORTION	
Calories	793
Protéines	49 g
Matières grasses	43 g
Glucides	26 g
Fibres	3 g
Fer	6 mg
Calcium	37 mg
Sodium	1 099 mg

4 filets mignons de bœuf de 180 g (environ ⅓ de lb) chacun

Pour la marinade :

- 180 ml (¾ de tasse) de bière noire
- 180 ml (¾ de tasse) de sauce barbecue à l'érable
- 15 ml (1 c. à soupe) de paprika fumé doux
- 15 ml (1 c. à soupe) de thym haché
- 15 ml (1 c. à soupe) d'huile d'olive
- 15 ml (1 c. à soupe) de piment coréen (ou de piment d'Espelette)
- 10 ml (2 c. à thé) de romarin haché

Pour la salsa de maïs et bacon :

- 60 ml (¼ de tasse) d'huile d'olive
- 15 ml (1 c. à soupe) de jus de lime
- 30 ml (2 c. à soupe) de sirop d'érable
- 15 ml (1 c. à soupe) d'épices à steak
- 5 ml (1 c. à thé) de paprika fumé doux
- 3 épis de maïs
- 6 tranches de bacon fumé à l'érable
- 30 ml (2 c. à soupe) de persil haché
- 30 ml (2 c. à soupe) de coriandre hachée

—

1. Dans un bol, mélanger les ingrédients de la marinade. Transférer le tiers de la marinade dans un grand sac hermétique. Réserver le reste de la marinade au frais.

2. Dans le sac, ajouter les filets mignons et secouer afin de les enrober de marinade. Retirer l'air du sac et sceller. Laisser mariner de 6 à 8 heures au frais.

3. Au moment de la cuisson, préchauffer le barbecue à puissance moyenne-élevée.

4. Dans un bol, mélanger l'huile d'olive avec le jus de lime, le sirop d'érable, les épices à steak et le paprika fumé.

5. Badigeonner les épis de maïs et les tranches de bacon avec le tiers du mélange à l'érable.

6. Sur la grille chaude et huilée du barbecue, déposer le maïs et le bacon. Fermer le couvercle et cuire de 8 à 10 minutes, en retournant les épis fréquemment et en retournant les tranches de bacon à mi-cuisson.

7. Égoutter les filets mignons et jeter la marinade.

8. Sur la grille chaude et huilée, déposer les filets mignons. Fermer le couvercle et cuire de 3 à 4 minutes de chaque côté pour une cuisson saignante.

9. Verser la marinade réservée à l'étape 1 dans une casserole. Porter à ébullition à feu doux-moyen.

10. À l'aide d'un couteau, égrainer les épis de maïs. Couper le bacon en dés.

11. Ajouter le maïs, le bacon, le persil et la coriandre dans le bol contenant la préparation à l'érable restante. Remuer.

12. Au moment de servir, garnir les filets mignons de salsa de maïs et napper de sauce.

—

C'est l'accord parfait !

Pour bon nombre de carnivores, les filets mignons sur le gril font partie des plus grands bonheurs de l'été. Pour ajouter un peu de croquant sous la dent et de couleurs dans l'assiette, nos chefs ont pensé à accompagner ceux-ci d'une salsa 100 % gourmande qui s'accorde à ravir avec cette coupe convoitée. Fait à base d'épis de maïs au bon goût de fumée, de bacon croustillant, de persil et de coriandre, cet accompagnement rehaussera en moins de deux votre souper !

Brochettes de pétoncles bardés de bacon

Préparation: 20 minutes – **Marinage**: 30 minutes – **Cuisson**: 4 minutes
Quantité: 4 portions

PAR PORTION	
Calories	344
Protéines	18 g
Matières grasses	25 g
Glucides	14 g
Fibres	2 g
Fer	1 mg
Calcium	43 mg
Sodium	356 mg

16 gros pétoncles (calibre U10)

16 tranches de bacon précuit

16 tomates cerises

1 petit oignon rouge coupé en quartiers

Pour l'huile à la mandarine:

80 ml (⅓ de tasse) d'huile d'olive

60 ml (¼ de tasse) de jus de mandarine

30 ml (2 c. à soupe) d'aneth haché

30 ml (2 c. à soupe) de ciboulette hachée

15 ml (1 c. à soupe) de sirop d'érable

15 ml (1 c. à soupe) de zestes de mandarine

Sel et poivre au goût

—

1. Dans un bol, mélanger les ingrédients de l'huile à la mandarine. Transvider le tiers de l'huile parfumée dans un autre bol, puis y ajouter les pétoncles. Remuer. Couvrir et laisser mariner 30 minutes au frais. Réserver le reste de l'huile au frais.

2. Au moment de la cuisson, préchauffer le barbecue à puissance moyenne-élevée.

3. Enrouler une tranche de bacon autour de chacun des pétoncles.

4. Sur huit petites brochettes, piquer les pétoncles bardés, les tomates cerises et les quartiers d'oignon rouge en les faisant alterner.

5. Sur la grille chaude et huilée du barbecue, déposer les brochettes. Fermer le couvercle et cuire les brochettes 2 minutes de chaque côté.

6. Napper les brochettes avec le reste de l'huile à la mandarine.

—

J'aime avec...

Salade de laitue Boston, radis et concombre

Dans un saladier, mélanger 60 ml (¼ de tasse) d'huile d'olive avec 30 ml (2 c. à soupe) de jus de mandarine, 30 ml (2 c. à soupe) de persil haché et 15 ml (1 c. à soupe) de jus de citron. Saler et poivrer. Ajouter 3 mini-concombres émincés, 8 radis émincés et 1 laitue Boston déchiquetée. Remuer.

Cheeseburger double extra bacon

Préparation: 15 minutes – **Cuisson**: 13 minutes – **Quantité**: 4 portions

PAR PORTION	
Calories	1 266
Protéines	63 g
Matières grasses	84 g
Glucides	60 g
Fibres	3 g
Fer	6 mg
Calcium	451 mg
Sodium	1 946 mg

1 petit oignon rouge coupé en quatre tranches
8 tranches de bacon cuites
6 pains à hamburger
8 tranches de cheddar
1 tomate tranchée
8 feuilles de laitue Boston

Pour les galettes:

675 g (environ 1 ½ lb) de bœuf haché mi-maigre
100 g (3 ½ oz) de fromage en grains
60 ml (¼ de tasse) de chapelure nature
30 ml (2 c. à soupe) de persil haché
15 ml (1 c. à soupe) de sauce Worcestershire
15 ml (1 c. à soupe) d'épices à steak
1,25 ml (¼ de c. à thé) de flocons de piment
2 tranches de bacon cuites et coupées en dés
1 œuf battu

Pour la sauce:

80 ml (⅓ de tasse) de mayonnaise
15 ml (1 c. à soupe) de miel
10 ml (2 c. à thé) de moutarde de Dijon
2,5 ml (½ c. à thé) de paprika fumé doux
Sel et poivre au goût

—

1. Préchauffer le barbecue à puissance moyenne-élevée.

2. Dans un bol, mélanger les ingrédients des galettes. Façonner huit petites galettes avec la préparation. Réserver au frais.

3. Dans un petit bol, mélanger les ingrédients de la sauce et réserver au frais.

4. Sur la grille chaude et huilée du barbecue, déposer les galettes. Fermer le couvercle et cuire de 5 à 6 minutes de chaque côté, en retournant les galettes plusieurs fois, jusqu'à ce que l'intérieur des galettes ait perdu sa teinte rosée.

5. Sur la grille chaude et huilée, déposer les tranches d'oignon rouge. Fermer le couvercle et cuire de 2 à 3 minutes de chaque côté. Ajouter les tranches de bacon sur la grille et faire griller 1 minute de chaque côté.

6. Diviser les pains en deux et les faire griller 1 minute sur la grille supérieure du barbecue.

7. Tartiner quatre pains de sauce. Garnir d'une galette de viande, d'une tranche de fromage, d'une tranche de tomate et d'une tranche d'oignon rouge. Couvrir avec un autre pain, puis le tartiner de sauce. Garnir d'une galette de viande, d'une tranche de fromage, de deux tranches de bacon et de deux feuilles de laitue. Couvrir avec les pains restants.

—

J'aime parce que…

C'est décadent !

De temps en temps, manger un repas décadent, c'est permis ! Vous êtes amateur des fameux cheeseburgers doubles que l'on vous sert en restauration rapide ? Gageons que ceux faits maison vous séduiront illico ! Bien sûr, il est possible de s'en tenir à un étage seulement si vous avez un petit appétit, mais quand vous aurez goûté à ces galettes contenant des morceaux de fromage en grains, il se pourrait que vous changiez d'avis !

Filet de porc bardé de bacon

Préparation : 20 minutes – **Cuisson :** 20 minutes – **Quantité :** 4 portions

PAR PORTION	
Calories	570
Protéines	50 g
Matières grasses	35 g
Glucides	10 g
Fibres	1 g
Fer	3 mg
Calcium	31 mg
Sodium	788 mg

- 1 filet de porc de 675 g (environ 1 ½ lb)
- 14 tranches de bacon
- 30 ml (2 c. à soupe) de sirop d'érable

Pour la marinade sèche :

- 15 ml (1 c. à soupe) de sucre d'érable
- 15 ml (1 c. à soupe) de thym haché
- 10 ml (2 c. à thé) de paprika
- 5 ml (1 c. à thé) de poudre d'oignons
- 5 ml (1 c. à thé) de poudre d'ail
- Sel et poivre au goût

—

1. Préchauffer le barbecue à puissance moyenne-élevée.

2. Parer le filet de porc en retirant la membrane blanche.

3. Dans un bol, mélanger les ingrédients de la marinade sèche. Frotter le filet avec la marinade.

4. Déposer les tranches de bacon sur le plan de travail en les superposant légèrement. Déposer le filet de porc au centre des tranches. Enrouler les tranches de bacon autour du filet. Ficeler le filet.

5. Sur la grille chaude et huilée du barbecue, faire griller le filet sur toutes les faces.

6. Éteindre l'un des brûleurs du barbecue et transférer le filet sur la grille chaude du côté du brûleur éteint pour une cuisson indirecte. Badigeonner le filet de sirop d'érable. Fermer le couvercle et cuire de 20 à 25 minutes.

7. Transférer le filet dans une assiette et couvrir d'une feuille de papier d'aluminium, sans serrer. Laisser reposer de 5 à 7 minutes avant de trancher.

—

C'est gourmand à souhait !

Le filet de porc sur le barbecue, c'est un succès à tous les coups. Mais que dire de cette recette complètement cochonne où l'on a bardé le filet de tranches de bacon ? Pendant son séjour sur le gril, le gras du bacon se mélange à la marinade sèche pour créer un jus de cuisson rempli de saveurs. Bref, un filet gourmand comme on les aime qui est en prime super simple à préparer !

PAR PORTION	
Calories	534
Protéines	42 g
Matières grasses	25 g
Glucides	36 g
Fibres	1 g
Fer	2 mg
Calcium	47 mg
Sodium	963 mg

Tournedos de poulet

Préparation: 20 minutes – **Marinage**: 3 heures – **Cuisson**: 12 minutes – **Quantité**: 4 portions

- 4 poitrines de poulet sans peau
- 8 tranches de bacon fumé à l'érable
- 15 ml (1 c. à soupe) d'huile d'olive
- 1 oignon haché
- 10 ml (2 c. à thé) d'ail haché
- 125 ml (½ tasse) de gelée de cidre de glace (de type Verger St-Nicolas)
- 180 ml (¾ de tasse) de sauce demi-glace
- Sel et poivre au goût

Pour la marinade:

- 45 ml (3 c. à soupe) d'origan haché
- 15 ml (1 c. à soupe) d'huile d'olive
- 15 ml (1 c. à soupe) d'ail haché
- 15 ml (1 c. à soupe) d'assaisonnements pour poulet

—

1. Dans un sac hermétique, déposer les ingrédients de la marinade. Secouer. Ajouter les poitrines de poulet dans le sac, puis secouer de nouveau pour les enrober de marinade. Retirer l'air du sac et sceller. Laisser mariner de 3 à 4 heures au frais.

2. Au moment de la cuisson, préchauffer le barbecue à puissance moyenne-élevée.

3. Égoutter les poitrines de poulet et jeter la marinade.

4. Enrouler deux tranches de bacon autour de chaque poitrine de poulet. Fixer les tranches à l'aide de cure-dents.

5. Sur la grille chaude et huilée du barbecue, déposer les tournedos. Fermer le couvercle et cuire de 12 à 15 minutes en retournant les tournedos plusieurs fois, jusqu'à ce que l'intérieur de la chair du poulet ait perdu sa teinte rosée.

6. Pendant ce temps, chauffer l'huile à feu moyen dans une casserole. Cuire l'oignon et l'ail 1 minute.

7. Ajouter la gelée de cidre de glace et la sauce demi-glace dans la casserole. Saler et poivrer. Porter à ébullition, puis laisser mijoter de 4 à 5 minutes à feu doux-moyen. Servir avec les tournedos.

—

PAR PORTION	
Calories	466
Protéines	29 g
Matières grasses	30 g
Glucides	22 g
Fibres	3 g
Fer	1 mg
Calcium	133 mg
Sodium	849 mg

Salade César grillée

Préparation: 20 minutes – **Cuisson**: 15 minutes – **Quantité**: 4 portions

Sel et poivre au goût
2 poitrines de poulet sans peau
1 laitue romaine coupée en deux sur la longueur
8 tranches de bacon cuites et coupées en morceaux
375 ml (1 ½ tasse) de croûtons à salade
60 ml (¼ de tasse) de copeaux de parmesan

Pour la vinaigrette:

80 ml (⅓ de tasse) d'eau
80 ml (⅓ de tasse) de mayonnaise
60 ml (¼ de tasse) de parmesan râpé
15 ml (1 c. à soupe) de câpres
10 ml (2 c. à thé) d'ail haché
10 ml (2 c. à thé) de jus de citron
5 ml (1 c. à thé) de moutarde de Dijon
½ avocat
Sel et poivre au goût

—

1. Préchauffer le barbecue à puissance moyenne-élevée.

2. Saler et poivrer les poitrines de poulet.

3. Sur la grille chaude et huilée du barbecue, déposer les poitrines de poulet. Fermer le couvercle et cuire les poitrines de 15 à 20 minutes, en les retournant de temps en temps, jusqu'à ce que l'intérieur de la chair du poulet ait perdu sa teinte rosée.

4. Sur la grille chaude et huilée, déposer la laitue, côté coupé dessous. Cuire de 2 à 3 minutes, en retournant la laitue à mi-cuisson.

5. Couper la base des cœurs de laitue afin que les feuilles se détachent. Émincer la laitue. Couper le poulet en morceaux.

6. Dans le contenant du mélangeur, déposer les ingrédients de la vinaigrette. Émulsionner jusqu'à l'obtention d'une sauce lisse.

7. Dans un saladier, mélanger la laitue grillée avec le poulet, le bacon, les croûtons et la vinaigrette. Répartir la salade dans les assiettes et garnir chaque portion de copeaux de parmesan.

—

PAR PORTION	
Calories	355
Protéines	37 g
Matières grasses	20 g
Glucides	5 g
Fibres	0 g
Fer	2 mg
Calcium	19 mg
Sodium	397 mg

Roulades de hauts de cuisses et bacon

Préparation: 15 minutes – **Marinage**: 5 minutes – **Cuisson**: 20 minutes – **Quantité**: 4 portions

- 45 ml (3 c. à soupe) d'huile d'olive
- 15 ml (1 c. à soupe) de sirop d'érable
- 10 ml (2 c. à thé) de sriracha
- 10 ml (2 c. à thé) de vinaigre balsamique
- 5 ml (1 c. à thé) de paprika fumé doux
- 8 hauts de cuisses de poulet désossés
- Sel et poivre au goût
- 8 tranches de bacon

—

1. Préchauffer le barbecue à puissance moyenne.

2. Dans un bol, mélanger l'huile d'olive avec le sirop d'érable, la sriracha, le vinaigre balsamique et le paprika. Ajouter les hauts de cuisses. Saler, poivrer et bien mélanger. Laisser mariner 5 minutes au frais.

3. Enrouler une tranche de bacon autour de chaque haut de cuisse. Fixer à l'aide de cure-dents.

4. Sur la grille chaude et huilée du barbecue, déposer les hauts de cuisses. Fermer le couvercle et cuire les hauts de cuisses de 20 à 25 minutes, en les retournant fréquemment, jusqu'à ce que le bacon soit grillé et que l'intérieur de la chair du poulet ait perdu sa teinte rosée.

—

PAR PORTION	
1 hot-dog	
Calories	491
Protéines	14 g
Matières grasses	27 g
Glucides	49 g
Fibres	2 g
Fer	2 mg
Calcium	103 mg
Sodium	1 029 mg

Hot-dog texan

Préparation: 20 minutes – **Cuisson**: 12 minutes – **Quantité**: 8 hot-dogs

8	tranches de bacon
8	saucisses à hot-dog
2	baguettes de pain
30 ml	(2 c. à soupe) de coriandre hachée

Pour la sauce:

180 ml	(¾ de tasse) de mayonnaise
15 ml	(1 c. à soupe) de zestes de lime
1,25 ml	(¼ de c. à thé) de chipotle

Pour la garniture texane:

250 ml	(1 tasse) de maïs en grains
2	oignons verts émincés
½	poivron rouge coupé en dés
1,25 ml	(¼ de c. à thé) de chipotle

—

1. Préchauffer le barbecue à puissance moyenne-élevée.

2. Dans un bol, mélanger les ingrédients de la sauce. Réserver au frais.

3. Enrouler une tranche de bacon autour de chacune des saucisses.

4. Sur la grille chaude et huilée du barbecue, déposer les saucisses enrobées de bacon. Fermer le couvercle et cuire de 8 à 10 minutes, jusqu'à ce que le bacon soit croustillant. Réserver dans une assiette.

5. Dans un autre bol, mélanger les ingrédients de la garniture. Déposer sur une feuille de papier d'aluminium et replier le papier de manière à former une papillote hermétique.

6. Sur la grille chaude, déposer la papillote. Fermer le couvercle et cuire de 4 à 5 minutes.

7. Couper chaque baguette de pain en quatre morceaux sur la longueur. Couper chaque morceau en deux sur l'épaisseur, sans les trancher complètement.

8. Sur la grille supérieure du barbecue, faire dorer les pains de 1 à 2 minutes de chaque côté.

9. Garnir chaque pain de sauce, d'une saucisse et de garniture texane. Garnir de coriandre.

—

Fumoir

Vous avez fait l'acquisition d'un fumoir ou vous songez à le faire prochainement ? Cette section spécialement conçue pour réaliser des recettes dans un fumoir propose de belles idées à vous mettre sous la dent. Parce qu'il n'y a rien de mieux que des aliments fumés à la maison pour épater les papilles de vos invités !

Côtes levées barbecue

Préparation : 20 minutes – **Marinage :** 6 heures
Fumage : environ 4 heures 30 minutes – **Quantité :** 4 portions

PAR PORTION	
Calories	1 329
Protéines	85 g
Matières grasses	83 g
Glucides	58 g
Fibres	6 g
Fer	6 mg
Calcium	202 mg
Sodium	1 624 mg

2,27 kg (5 lb) de côtes levées de dos de porc
750 ml (3 tasses) de jus de pomme
15 ml (1 c. à soupe) de beurre

Pour la marinade sèche :

15 ml (1 c. à soupe) de paprika fumé doux
15 ml (1 c. à soupe) de moutarde en poudre
15 ml (1 c. à soupe) de poudre d'oignons
15 ml (1 c. à soupe) de poudre d'ail
15 ml (1 c. à soupe) de cassonade
5 ml (1 c. à thé) de cumin
1,25 ml (¼ de c. à thé) de sel
1,25 ml (¼ de c. à thé) de piment de Cayenne

Pour la sauce barbecue :

250 ml (1 tasse) de ketchup
125 ml (½ tasse) de sauce chili
60 ml (¼ de tasse) de sirop d'érable
30 ml (2 c. à soupe) de vinaigre de cidre
15 ml (1 c. à soupe) de paprika
15 ml (1 c. à soupe) de mélasse
15 ml (1 c. à soupe) de moutarde en poudre
Sel et poivre au goût

—

1. Retirer la membrane blanche des côtes levées.

2. Dans un bol, mélanger les ingrédients de la marinade sèche. Frotter les côtes levées avec la marinade sèche. Couvrir et laisser mariner de 6 à 8 heures au frais.

3. Au moment de la cuisson, préchauffer le fumoir selon les indications du fabricant, jusqu'à l'obtention d'une température de 107 °C (225 °F). Ajouter le type de bois recommandé par le fabricant dans le fumoir.

4. Verser le jus de pomme dans un vaporisateur. Placer les côtes levées sur la grille du fumoir sans les superposer, côté bombé sur le dessus. Faire fumer 2 heures, en vaporisant les côtes levées avec le jus de pomme toutes les 30 minutes.

5. Déposer les côtes levées sur une feuille de papier d'aluminium et y déposer le beurre. Vaporiser de jus de pomme. Replier le papier d'aluminium de manière à former une papillote hermétique.

6. Déposer la papillote sur la grille chaude du fumoir, côté bombé vers le bas. Faire fumer de nouveau 2 heures.

7. Dans une casserole, mélanger les ingrédients de la sauce barbecue. Porter à ébullition, puis laisser mijoter de 5 à 8 minutes à feu doux.

8. Retirer les côtes levées du papier d'aluminium, puis les badigeonner de sauce barbecue.

9. Déposer les côtes levées directement sur la grille chaude du fumoir. Prolonger le fumage de 30 minutes à 1 heure.

10. Servir les côtes levées avec le reste de la sauce barbecue.

—

Bacon fumé

Préparation : 10 minutes – **Fumage** : environ 3 heures 30 minutes (température interne à atteindre : 70 °C – 160 °F) – **Réfrigération** : 62 heures – **Quantité** : 20 portions

PAR PORTION	
Calories	392
Protéines	7 g
Matières grasses	40 g
Glucides	1 g
Fibres	0 g
Fer	0 mg
Calcium	6 mg
Sodium	552 mg

1,5 kg (3 ⅓ lb) de poitrine (flanc) de porc

Pour la salaison :

80 ml (⅓ de tasse) de gros sel casher

80 ml (⅓ de tasse) de cassonade

30 ml (2 c. à soupe) de sucre d'érable

15 ml (1 c. à soupe) de paprika

15 ml (1 c. à soupe) poivre noir italien broyé ou de poivre du moulin

—

1. Dans un bol, mélanger les ingrédients pour la salaison. Frotter la poitrine de porc avec la préparation.

2. Déposer la poitrine de porc dans un sac hermétique. Retirer l'air du sac et sceller. Laisser reposer 48 heures au frais, en retournant le sac après 24 heures.

3. Rincer la poitrine de porc à l'eau froide. Bien frotter pour retirer l'excédent de sel. Assécher la viande à l'aide de papier absorbant.

4. Laisser reposer la viande de 6 à 7 heures au frais sur une grille afin que l'air puisse circuler en dessous.

5. Au moment de la cuisson, préchauffer le fumoir selon les indications du fabricant, jusqu'à l'obtention d'une température entre 70 et 80 °C (160 et 175 °F). Ajouter le type de bois recommandé par le fabricant dans le fumoir.

6. Déposer la poitrine de porc sur la grille chaude du fumoir. Insérer un thermomètre à cuisson dans la partie charnue de la poitrine. Faire fumer de 3 heures 30 minutes à 4 heures, jusqu'à ce que la température interne de la viande atteigne 70 °C (160 °F).

7. Retirer du fumoir et déposer la poitrine sur une grille. Laisser tiédir. Envelopper la viande dans du papier à boucherie. Réfrigérer 8 heures ou toute une nuit.

8. Couper la poitrine en tranches de 2 à 3 mm (1/12 de po à 1/10 de po) d'épaisseur.

9. Au moment de servir, cuire les tranches de bacon dans une poêle, jusqu'à ce qu'elles soient croustillantes.

—

Brisket aux épices

Préparation : 25 minutes – **Marinage :** 4 heures – **Fumage :** environ 9 heures (température interne à atteindre : 95 °C – 200 °F) – **Temps de repos :** 1 heure
Quantité : de 8 à 10 portions

PAR PORTION	
Calories	780
Protéines	56 g
Matières grasses	58 g
Glucides	4 g
Fibres	2 g
Fer	6 mg
Calcium	45 mg
Sodium	922 mg

1 pointe de poitrine de bœuf de 3 kg (environ 6 ¾ lb)

Pour la marinade sèche :

30 ml (2 c. à soupe) de moutarde en poudre
30 ml (2 c. à soupe) de paprika
30 ml (2 c. à soupe) de poudre d'oignons
30 ml (2 c. à soupe) de grains de coriandre écrasés
15 ml (1 c. à soupe) de sel
15 ml (1 c. à soupe) de poivre noir italien broyé ou de poivre du moulin
15 ml (1 c. à soupe) de poudre d'ail

—

1. Dans un bol, mélanger les ingrédients de la marinade sèche. Frotter la viande avec la marinade. Couvrir d'une pellicule plastique et laisser mariner de 4 à 6 heures au frais.

2. Au moment de la cuisson, préchauffer le fumoir selon les indications du fabricant, jusqu'à l'obtention d'une température entre 105 et 120 °C (225 et 250 °F). Ajouter le type de bois recommandé par le fabricant dans le fumoir.

3. Déposer la viande sur la grille chaude du fumoir, côté gras sur le dessus. Insérer un thermomètre à cuisson dans la partie charnue de la viande. Sur la grille, déposer une barquette d'aluminium remplie d'eau.

4. Faire fumer de 8 à 10 heures, jusqu'à ce que la température interne de la viande atteigne 80 °C (175 °F).

5. Retirer la viande du fumoir. Envelopper la viande dans du papier à boucherie.

6. Insérer de nouveau le thermomètre à cuisson dans la viande et prolonger le fumage de 1 heure, jusqu'à ce que la température interne de la viande atteigne 95 °C (200 °F).

7. Transférer la viande dans une assiette et laisser reposer de 1 à 2 heures avant de trancher la viande dans le sens contraire des fibres.

—

LE SAVIEZ-VOUS ?

—

Qu'est-ce qu'un *brisket* ?

« Brisket » est le mot anglais utilisé pour parler de la pointe de poitrine de bœuf, la partie située juste en avant des pattes de l'animal. Assez coriace, cette pièce de viande doit être cuite lentement et être suffisamment grasse pour donner le résultat recherché. Une température constante dans le fumoir est aussi primordiale. Informez-vous auprès de votre boucher pour en savoir plus !

Poulet fumé aux épices

PAR PORTION	
Calories	643
Protéines	52 g
Matières grasses	42 g
Glucides	14 g
Fibres	3 g
Fer	4 mg
Calcium	85 mg
Sodium	847 mg

Préparation : 15 minutes – **Fumage :** environ 1 heure 15 minutes (température interne à atteindre : 82 °C – 180 °F) – **Quantité :** 4 portions

1	oignon coupé en quatre
1	feuille de laurier
1	tige de romarin
½	citron coupé en trois
1	poulet entier de 1,6 kg (3 ½ lb)

Pour la marinade sèche :

30 ml	(2 c. à soupe) de cassonade
15 ml	(1 c. à soupe) de poudre d'oignons
15 ml	(1 c. à soupe) de poudre d'ail
15 ml	(1 c. à soupe) de poudre de chili
15 ml	(1 c. à soupe) de thym séché haché
15 ml	(1 c. à soupe) de poivre noir italien broyé ou de poivre du moulin
10 ml	(2 c. à thé) de sel

—

1. Préchauffer le fumoir selon les indications du fabricant, jusqu'à l'obtention d'une température de 190 °C (375 °F). Ajouter le type de bois recommandé par le fabricant dans le fumoir.

2. Dans un bol, mélanger les ingrédients de la marinade sèche.

3. Insérer l'oignon, la feuille de laurier, le romarin et le citron dans la cavité du poulet.

4. Frotter le poulet avec la marinade sèche. Déposer le poulet dans un plateau d'aluminium. Insérer un thermomètre à cuisson dans la partie charnue de la cuisse du poulet (sans toucher l'os).

5. Placer le plateau sur la grille chaude du fumoir. Faire fumer de 1 heure 15 minutes à 1 heure 30 minutes, jusqu'à ce que la température interne du poulet atteigne 82 °C (180 °F).

—

Smoked meat de Montréal du Maître Fumeur

PAR PORTION	
Calories	458
Protéines	34 g
Matières grasses	35 g
Glucides	5 g
Fibres	0 g
Fer	3 mg
Calcium	16 mg
Sodium	358 mg

Préparation : 14 minutes – **Temps de repos :** 14 jours et 16 heures – **Fumage :** environ 8 heures (température interne à atteindre : 85 °C – 185 °F) – **Quantité :** 20 portions

- 1 poitrine de bœuf de 3,6 à 4,5 kg (de 8 à 10 lb)

Pour la saumure :

- 20 g de grains de poivre grossièrement concassés
- 80 g d'épices à steak sans sel
- 120 g de gros sel kasher
- 4 g d'aneth séché
- 30 ml (2 c. à soupe) de poudre d'ail
- 6 g de graines de céleri
- 18 g de sel nitrité
- 30 g d'érythorbate de sodium

Pour le mélange d'épices à frotter :

- 75 g d'enrobage à smoked meat Maître Fumeur
- 15 g de grains de poivre concassés

—

Note du Maître Fumeur : si vous n'avez pas les épices à smoked meat Maître Fumeur, il est possible d'utiliser des épices à steak. Il est alors important d'utiliser celles sans sel.

1. Remplir une grosse casserole de 3 litres (12 tasses) d'eau.

2. Dans une poêle, faire revenir les grains de poivre jusqu'à ce qu'ils commencent à craquer.

3. Ajouter les grains de poivre, les épices à steak sans sel, le gros sel, l'aneth, la poudre d'ail et les grains de céleri dans la casserole. Porter à ébullition, puis laisser mijoter 5 minutes.

4. Ajouter le sel nitrité et l'érythorbate dans la casserole. Bien mélanger. Laisser refroidir au réfrigérateur toute une nuit.

5. Le lendemain, déposer la pointe de poitrine de bœuf dans un grand plat à marinade. Verser la saumure sur la poitrine de façon à ce que celle-ci soit entièrement couverte de liquide.

6. Laisser reposer au réfrigérateur de 14 à 30 jours.

7. Au moment de la cuisson, préchauffer le fumoir selon les indications du fabricant, jusqu'à l'obtention d'une température de 95 °C (200 °F). Ajouter le type de bois recommandé par le fabricant dans le fumoir.

8. Rincer la pièce de viande à l'eau froide et frotter afin de retirer tout excédent de sel. Assécher la viande avec du papier absorbant.

9. Dans un bol, mélanger les ingrédients pour les épices à frotter. Enrober la poitrine de ce mélange.

10. Déposer la viande directement sur la grille du fumoir. Insérer un thermomètre à cuisson dans la partie charnue de la cuisse. Faire fumer de 8 à 10 heures, jusqu'à ce que la température interne de la viande atteigne 75 °C (165 °F).

11. Envelopper la poitrine dans du papier d'aluminium. Remettre sur la grille et faire fumer jusqu'à ce que la température interne de la viande atteigne 85 °C (185 °F).

12. Retirer la viande du fumoir. Laisser reposer la viande dans le papier d'aluminium environ 4 heures dans un endroit restreint (glacière, four, bac, etc.).

13. Réfrigérer de nouveau la poitrine enrobée de papier d'aluminium 4 heures pour faire figer les gras à l'intérieur.

14. Couper la viande en tranches à l'aide d'un couteau de chef. Emballer les tranches dans des sacs sous vide.

15. Au moment de servir, déposer les sacs sous vide dans l'eau bouillante environ 4 à 6 minutes. Ainsi, le gras fondra dans le sac, ce qui permettra de conserver les saveurs.

—

LE SAVIEZ-VOUS ?

—

Qui est le Maître Fumeur ?

Le Maître Fumeur, ça vous dit quelque chose ? L'auteur de ce projet, qui comprend un site Web, une page et un groupe Facebook, un compte Instagram et une chaîne YouTube, est tout simplement un passionné des cuissons ancestrales qui s'est donné comme mission de transmettre ses bonnes idées de recettes et ses astuces de chef à la communauté francophone. Aujourd'hui, son site Web compte plus de 200 000 visites chaque mois. Vous voulez devenir un pro du fumoir ? Visitez sa page !

Saumon fumé à froid

Préparation: 20 minutes – **Réfrigération**: 40 heures
Fumage: environ 6 heures – **Quantité**: 10 portions

PAR PORTION	
Calories	76
Protéines	7 g
Matières grasses	5 g
Glucides	1 g
Fibres	0 g
Fer	0 mg
Calcium	5 mg
Sodium	680 mg

1 filet de saumon entier de 1 kg (environ 2 ¼ lb) avec la peau

Pour le salage:

- 125 ml (½ tasse) de gros sel casher
- 125 ml (½ tasse) de cassonade
- 45 ml (3 c. à soupe) d'aneth haché
- 30 ml (2 c. à soupe) de zestes de citron
- 5 ml (1 c. à thé) de poivre noir italien broyé ou de poivre du moulin

—

1. Dans un bol, mélanger les ingrédients pour le salage.

2. Déposer le filet de saumon sur une plaque. Couvrir le dessus du filet de la préparation au gros sel. Couvrir d'une pellicule plastique. Réfrigérer 12 heures.

3. Rincer le saumon à l'eau froide et bien frotter pour retirer l'excédent de sel. Assécher avec du papier absorbant. Réfrigérer de nouveau 24 heures, sans couvrir le filet.

4. Au moment de la cuisson, préchauffer le fumoir à froid selon les indications du fabricant, jusqu'à l'obtention d'une température de 26 °C (80 °F). Ajouter le type de bois recommandé par le fabricant dans le fumoir.

5. Déposer le filet de saumon sur la grille du fumoir. Faire fumer de 6 à 12 heures, selon la texture désirée.

6. Retirer du fumoir et laisser tiédir. Réfrigérer de 4 à 12 heures.

—

Bœuf *jerky*

Préparation : 10 minutes – **Marinage :** 24 heures
Fumage : environ 3 heures 30 minutes – **Quantité :** 6 portions

PAR PORTION	
Calories	194
Protéines	35 g
Matières grasses	4 g
Glucides	3 g
Fibres	0 g
Fer	3 mg
Calcium	16 mg
Sodium	340 mg

900 g (environ 2 lb) d'intérieur de ronde de bœuf

Pour la marinade :

125 ml (½ tasse) de sauce soya réduite en sodium
60 ml (¼ de tasse) de sauce Worcestershire
60 ml (¼ de tasse) de cassonade
60 ml (¼ de tasse) de cola
30 ml (2 c. à soupe) de sauce HP
15 ml (1 c. à soupe) de poudre d'oignons
5 ml (1 c. à thé) de poudre d'ail
5 ml (1 c. à thé) de tabasco
5 ml (1 c. à thé) de poivre moulu

—

1. Dans un bol, mélanger les ingrédients de la marinade.

2. Couper la viande en lanières d'environ 1,5 mm (1/16 de po) d'épaisseur.

3. Ajouter les lanières de viande dans le bol et remuer. Couvrir d'une pellicule plastique et laisser mariner 24 heures au frais.

4. Au moment de la cuisson, préchauffer le fumoir selon les indications du fabricant, jusqu'à l'obtention d'une température de 70 °C (160 °F). Ajouter le type de bois recommandé par le fabricant dans le fumoir.

5. Égoutter la viande et jeter la marinade.

6. Déposer les lanières de viande sur la grille chaude du fumoir. Faire fumer de 3 heures 30 minutes à 5 heures.

—

LE SAVIEZ-VOUS ?

—

Comment savoir quand le *jerky* est cuit ?

Les tranches de *jerky* doivent demeurer assez tendres pour plier sans se casser. Si de petits filaments blancs se forment lorsque vous les pliez, c'est signe qu'elles sont prêtes ! Notez que l'humidité extérieure est déterminante lors de la fabrication du *jerky* et qu'elle peut donc avoir un impact sur le temps de fumage.

Jambon fumé

Préparation: 20 minutes – **Réfrigération**: 2 heures – **Saumurage**: 48 heures
Fumage: environ 22 heures (température interne à atteindre: 70 °C – 160 °F)
Quantité: de 10 à 12 portions

PAR PORTION	
Calories	307
Protéines	40 g
Matières grasses	15 g
Glucides	1 g
Fibres	0 g
Fer	3 mg
Calcium	32 mg
Sodium	1 269 mg

4 kg (9 lb) d'épaule de porc avec os

Pour la saumure:

327 g (environ ¾ de lb) de gros sel
5 litres (20 tasses) d'eau
250 ml (1 tasse) de cassonade
45 ml (3 c. à soupe) d'épices à marinade
2 feuilles de laurier

—

1. Dans une grande casserole pouvant contenir l'épaule de porc, porter à ébullition les ingrédients pour la saumure. Retirer du feu. Laisser tiédir, puis refroidir complètement au frais de 2 à 3 heures, jusqu'à ce que la saumure ait atteint une température de 4 °C (39 °F).

2. À l'aide d'une seringue, injecter 500 ml (2 tasses) de saumure à différents endroits dans la viande.

3. Dans la casserole contenant la saumure restante, déposer l'épaule de porc en s'assurant qu'elle soit complètement immergée. Couvrir et laisser saumurer 48 heures.

4. Au moment de la cuisson, rincer l'épaule de porc à l'eau froide.

5. Préchauffer le fumoir à froid selon les indications du fabricant, jusqu'à l'obtention d'une température entre 2 et 20 °C (37 et 68 °F). Ajouter le type de bois recommandé par le fabricant dans le fumoir.

6. Déposer la viande sur la grille du fumoir, le gras sur le dessus.

7. Insérer un thermomètre à cuisson dans la partie charnue de la viande. Faire fumer à froid 12 heures.

8. Préchauffer le fumoir pour fumer à chaud selon les indications du fabricant, jusqu'à l'obtention d'une température entre 105 et 120 °C (225 et 250 °F).

9. Ajouter le type de bois recommandé par le fabricant dans le fumoir. Faire fumer à chaud de 10 à 12 heures, jusqu'à ce que la température interne de la viande atteigne 70 °C (160 °F).

—

PAR PORTION	
Calories	147
Protéines	17 g
Matières grasses	5 g
Glucides	9 g
Fibres	0 g
Fer	0 mg
Calcium	81 mg
Sodium	683 mg

Crevettes fumées

Préparation : 15 minutes – **Fumage** : 30 minutes – **Quantité** : 4 portions

28 grosses crevettes (calibre 21/25), crues et non décortiquées

Pour la marinade :

30 ml (2 c. à soupe) de sirop d'érable
15 ml (1 c. à soupe) d'huile d'olive
15 ml (1 c. à soupe) d'ail haché
5 ml (1 c. à thé) de piment d'Espelette
5 ml (1 c. à thé) de paprika
Sel et poivre au goût

—

1. Préchauffer le fumoir selon les indications du fabricant, jusqu'à l'obtention d'une température entre 105 et 120 °C (225 et 250 °F). Ajouter le type de bois recommandé par le fabricant dans le fumoir.

2. Dans un bol, mélanger les ingrédients de la marinade. Ajouter les crevettes et remuer.

3. Déposer les crevettes sur la grille chaude du fumoir. Faire fumer 30 minutes.

—

J'aime avec...

Riz lime et aneth

Dans une casserole, mélanger 250 ml (1 tasse) de riz basmati rincé et égoutté avec 500 ml (2 tasses) de bouillon de poulet, 60 ml (¼ de tasse) de jus de lime, 10 ml (2 c. à thé) de zestes de lime et 80 ml (⅓ de tasse) d'échalotes sèches (françaises) hachées. Saler et poivrer. Porter à ébullition, puis couvrir et laisser mijoter de 18 à 20 minutes à feu doux. Incorporer 45 ml (3 c. à soupe) d'aneth haché.

PAR PORTION	
Calories	729
Protéines	51 g
Matières grasses	54 g
Glucides	2 g
Fibres	1 g
Fer	5 mg
Calcium	56 mg
Sodium	636 mg

Côtes de bœuf au jus

Préparation : 15 minutes – **Fumage** : environ 2 heures (température interne à atteindre : 55 °C – 130 °F)
Temps de repos : 15 minutes – **Quantité** : 12 portions

4 kg (8 ¾ lb) de rôti de côtes de bœuf

Pour la marinade sèche :

- 60 ml (¼ de tasse) de moutarde de Dijon
- 45 ml (3 c. à soupe) d'assaisonnements italiens
- 30 ml (2 c. à soupe) de moutarde à l'ancienne
- 30 ml (2 c. à soupe) de grains de coriandre écrasés
- 15 ml (1 c. à soupe) de poivre noir italien broyé ou de poivre du moulin
- 15 ml (1 c. à soupe) de sauce Worcestershire
- 15 ml (1 c. à soupe) de poudre d'oignons
- 5 ml (1 c. à thé) de sel

—

1. Préchauffer le fumoir selon les indications du fabricant, jusqu'à l'obtention d'une température de 120 °C (250 °F). Ajouter le type de bois recommandé par le fabricant dans le fumoir.

2. Dans un bol, mélanger les ingrédients de la marinade sèche. Frotter la viande avec la marinade.

3. Déposer la viande sur la grille chaude du fumoir. Insérer un thermomètre à cuisson au centre de la viande. Faire fumer de 2 heures à 2 heures 30 minutes, jusqu'à ce que la température interne de la viande atteigne 55 °C (130 °F) pour une cuisson saignante.

4. Transférer la viande dans une assiette. Couvrir d'une feuille de papier d'aluminium, sans serrer. Laisser reposer de 15 à 20 minutes.

—

PAR PORTION	
Calories	603
Protéines	52 g
Matières grasses	41 g
Glucides	7 g
Fibres	1 g
Fer	3 mg
Calcium	43 mg
Sodium	952 mg

Poulet en crapaudine à la portugaise

Préparation: 20 minutes – **Fumage**: environ 2 heures (température interne à atteindre: 75 °C – 165 °F)
Quantité: de 10 à 12 portions

1 poulet entier de 1,6 kg (3 ½ lb)

Pour la marinade sèche:

15 ml (1 c. à soupe) de poudre d'oignons
15 ml (1 c. à soupe) de poudre d'ail
15 ml (1 c. à soupe) de paprika
15 ml (1 c. à soupe) d'assaisonnements piri-piri
5 ml (1 c. à thé) de flocons de piment
5 ml (1 c. à thé) de sel

—

1. À l'aide d'un couteau, inciser le poulet sur toute la longueur du dos. Ouvrir le poulet le long de l'incision. Placer les poitrines vers le haut et appuyer pour aplatir.

2. Préchauffer le fumoir selon les indications du fabricant, jusqu'à l'obtention d'une température de 135 °C (275 °F). Ajouter le type de bois recommandé par le fabricant dans le fumoir.

3. Dans un bol, mélanger les ingrédients de la marinade sèche. Frotter le poulet avec la préparation.

4. Déposer le poulet dans un plateau d'aluminium. Insérer un thermomètre à cuisson dans la partie charnue de l'une des cuisses (prendre soin de ne pas toucher l'os). Placer le plateau sur la grille chaude du fumoir. Faire fumer de 2 heures à 2 heures 30 minutes, jusqu'à ce que la température interne du poulet atteigne 75 °C (165 °F).

—

PAR PORTION	
Calories	69
Protéines	9 g
Matières grasses	3 g
Glucides	1 g
Fibres	0 g
Fer	1 mg
Calcium	21 mg
Sodium	550 mg

Truite fumée à chaud

Préparation: 20 minutes – **Réfrigération**: 14 heures – **Fumage**: 45 minutes – **Quantité**: 8 portions

1 filet de truite saumonée entier de 1 kg (environ 2 ¼ lb), avec la peau

Pour le salage:

80 ml (⅓ de tasse) de gros sel
80 ml (⅓ de tasse) de cassonade
80 ml (⅓ de tasse) de sucre d'érable
5 ml (1 c. à thé) de poivre noir italien broyé ou de poivre du moulin

—

1. Dans un bol, mélanger les ingrédients pour le salage.

2. Déposer le filet de truite sur une plaque. Couvrir le dessus du filet de la préparation au gros sel. Couvrir d'une pellicule plastique. Réfrigérer de 8 à 12 heures.

3. Rincer la truite à l'eau froide et l'assécher avec du papier absorbant. Réfrigérer de nouveau de 2 à 3 heures, sans la couvrir.

4. Au moment de la cuisson, préchauffer le fumoir selon les indications du fabricant, jusqu'à l'obtention d'une température entre 82 et 88 °C (entre 180 et 190 °F). Ajouter le type de bois recommandé par le fabricant dans le fumoir.

5. Déposer le filet de truite sur la grille chaude du fumoir. Faire fumer de 45 minutes à 1 heure 15 minutes, selon la texture désirée.

6. Retirer le filet de truite du fumoir. Laisser tiédir, puis réfrigérer de 4 à 12 heures.

—

PAR PORTION	
Calories	122
Protéines	6 g
Matières grasses	8 g
Glucides	8 g
Fibres	0 g
Fer	0 mg
Calcium	122 mg
Sodium	265 mg

Camembert fumé

Préparation: 10 minutes – **Fumage**: 18 minutes – **Quantité**: 8 portions

1 camembert dans une boîte en bois de 250 g (de type Le Rustique)

Pour la gelée:

60 ml (¼ de tasse) de gelée de cidre
5 ml (1 c. à thé) de piment d'Espelette
2,5 ml (½ c. à thé) de thym haché
1 oignon vert haché
¼ de pomme coupée en dés

—

1. Préchauffer le fumoir selon les indications du fabricant, jusqu'à l'obtention d'une température de 104 °C (220 °F). Ajouter le type de bois recommandé par le fabricant dans le fumoir.

2. Dans un bol, mélanger les ingrédients de la gelée.

3. Retirer le papier d'emballage du camembert, puis le remettre dans sa boîte. Déposer la boîte sur la grille chaude du fumoir. Garnir le camembert de gelée. Faire fumer de 18 à 25 minutes.

—

PAR PORTION	
Calories	275
Protéines	24 g
Matières grasses	19 g
Glucides	2 g
Fibres	0 g
Fer	1 mg
Calcium	18 mg
Sodium	460 mg

Ailes de poulet à l'asiatique

Préparation : 15 minutes – **Marinage :** 1 heure – **Fumage :** environ 1 heure (température interne à atteindre : 24 °C – 75 °F) – **Quantité :** 6 portions

- 1,5 kg (3 ⅓ lb) d'ailes de poulet
- 30 ml (2 c. à soupe) de feuilles de coriandre

Pour la marinade :

- 60 ml (¼ de tasse) de sauce soya
- 45 ml (3 c. à soupe) de coriandre fraîche hachée
- 30 ml (2 c. à soupe) d'huile de sésame (non grillé)
- 30 ml (2 c. à soupe) de sucre de canne ou de cassonade
- 15 ml (1 c. à soupe) de gingembre haché
- 15 ml (1 c. à soupe) d'ail haché
- 10 ml (2 c. à thé) de sel
- 5 ml (1 c. à thé) de coriandre moulue
- 1 piment thaï haché

—

1. Dans un bol, mélanger les ingrédients de la marinade.

2. Déposer les ailes de poulet dans un sac hermétique. Ajouter la marinade et secouer afin de bien enrober les ailes de marinade. Sceller le sac et laisser mariner de 1 à 2 heures au frais.

3. Préchauffer le fumoir selon les indications du fabricant, jusqu'à l'obtention d'une température entre 137 et 149 °C (280 et 300 °F). Ajouter le type de bois recommandé par le fabricant dans le fumoir.

4. Déposer les ailes de poulet sur la grille chaude du fumoir. Faire fumer de 1 heure à 1 heure 30 minutes, jusqu'à ce que la température interne de la viande atteigne 24 °C (75 °F) ou que la chair se détache facilement de l'os.

5. Au moment de servir, parsemer de coriandre.

—

PAR PORTION	
Calories	501
Protéines	9 g
Matières grasses	50 g
Glucides	3 g
Fibres	1 g
Fer	1 mg
Calcium	15 mg
Sodium	784 mg

Poitrine de porc barbecue

Préparation: 10 minutes – **Marinage**: 12 heures – **Fumage**: environ 3 heures 30 minutes (température interne à atteindre: 70 °C – 160 °F) – **Quantité**: 16 portions

1,5 kg (3 ⅓ lb) de poitrine (flanc) de porc

Pour la marinade sèche:

- 30 ml (2 c. à soupe) de gros sel
- 30 ml (2 c. à soupe) de cassonade
- 30 ml (2 c. à soupe) de paprika fumé doux
- 30 ml (2 c. à soupe) de sucre d'érable
- 15 ml (1 c. à soupe) de poudre de chili
- 15 ml (1 c. à soupe) de moutarde en poudre
- 15 ml (1 c. à soupe) poivre noir italien broyé ou de poivre du moulin
- 15 ml (1 c. à soupe) de poudre d'ail
- 15 ml (1 c. à soupe) de poudre d'oignons
- 5 ml (1 c. à thé) de cumin

—

1. Dans un bol, mélanger les ingrédients de la marinade sèche.

2. Retirer la couenne de la poitrine de porc et quadriller la chair à l'aide d'un petit couteau.

3. Frotter la poitrine de porc avec la marinade sèche. Déposer la poitrine de porc dans un sac hermétique et laisser mariner 12 heures au frais.

4. Au moment de la cuisson, préchauffer le fumoir selon les indications du fabricant, jusqu'à l'obtention d'une température entre 105 et 120 °C (225 et 250 °F). Ajouter le type de bois recommandé par le fabricant dans le fumoir.

5. Déposer la poitrine sur la grille chaude du fumoir. Insérer un thermomètre à cuisson au centre de la viande. Faire fumer de 3 heures 30 minutes à 4 heures, jusqu'à ce que la température interne de la viande atteigne 70 °C (160 °F).

6. Couper la poitrine en tranches d'environ 2,5 cm (1 po) d'épaisseur.

—

PAR PORTION	
Calories	125
Protéines	9 g
Matières grasses	6 g
Glucides	9 g
Fibres	0 g
Fer	0 mg
Calcium	17 mg
Sodium	457 mg

Saumon confit style *jerky*

Préparation : 20 minutes – **Marinage** : 8 heures – **Réfrigération** : 2 heures
Fumage : 2 heures 15 minutes – **Quantité** : 8 portions

1	filet de saumon entier de 1 kg (environ 2 ¼ lb), la peau enlevée
60 ml	(¼ de tasse) de sirop d'érable

Pour la marinade :

250 ml	(1 tasse) de cassonade
60 ml	(¼ de tasse) de gros sel
60 ml	(¼ de tasse) de sauce teriyaki pour marinade
5 ml	(1 c. à thé) de poivre noir italien broyé ou de poivre du moulin

—

1. Dans un bol, mélanger les ingrédients de la marinade.

2. Couper le filet de saumon en tranches de 1 cm (½ po) d'épaisseur.

3. Déposer les tranches de saumon dans un sac hermétique. Verser la marinade dans le sac et secouer pour bien enrober les tranches de saumon de marinade. Sceller le sac et laisser mariner au frais de 8 à 12 heures, en retournant le sac plusieurs fois.

4. Égoutter les tranches de saumon et jeter la marinade.

5. Rincer les tranches de saumon à l'eau froide et les assécher avec du papier absorbant. Réfrigérer de 2 à 3 heures, sans couvrir les tranches.

6. Au moment de la cuisson, préchauffer le fumoir selon les indications du fabricant, jusqu'à l'obtention d'une température entre 76 et 82 °C (170 et 180 °F). Ajouter le type de bois recommandé par le fabricant dans le fumoir.

7. Déposer les tranches de saumon sur la grille chaude du fumoir ou les suspendre si possible. Faire fumer de 2 à 3 heures, jusqu'à l'obtention d'une texture plus sèche, selon la texture désirée. À noter que l'humidité extérieure est déterminante lors de la cuisson du *jerky* : cela peut donc influencer le temps de fumage.

8. Badigeonner les tranches de saumon de sirop d'érable. Prolonger le fumage de 15 minutes.

—

Accompagnements gagnants

Un bon steak, des poitrines de poulet caramélisées, des brochettes de saumon… C'est délicieux, mais sans accompagnements, c'est un peu moins excitant ! C'est pourquoi on vous propose des accompagnements tout simples, mais ô combien savoureux pour ajouter de la couleur et de la saveur dans votre assiette : patates farcies, asperges enrobées de bacon, maïs au beurre… Régalez-vous !

Pelures de pommes de terre farcies

Préparation : 20 minutes – **Cuisson :** 17 minutes – **Quantité :** 4 portions

PAR PORTION	
Calories	401
Protéines	17 g
Matières grasses	23 g
Glucides	35 g
Fibres	4 g
Fer	2 mg
Calcium	81 mg
Sodium	605 mg

4 tranches de prosciutto

4 petites pommes de terre à chair jaune

125 ml (½ tasse) de fromage à la crème ramolli

250 ml (1 tasse) de cheddar marbré râpé

Sel et poivre au goût

10 à 12 tomates cerises coupées en quartiers

¼ de petit oignon rouge haché

15 ml (1 c. à soupe) d'huile d'olive

15 ml (1 c. à soupe) de vinaigre de vin rouge

60 ml (¼ de tasse) d'oignons verts hachés

—

1. Déposer les tranches de prosciutto dans une assiette entre deux feuilles de papier absorbant. Cuire au micro-ondes de 2 à 3 minutes, jusqu'à ce que le prosciutto soit sec et croustillant. Laisser tiédir, puis émietter.

2. Préchauffer le barbecue à puissance moyenne-élevée.

3. À l'aide d'une fourchette, piquer les pommes de terre à plusieurs endroits.

4. Cuire les pommes de terre au micro-ondes à puissance maximale de 8 à 10 minutes, jusqu'à ce qu'elles soient tendres. Laisser tiédir.

5. Couper chaque pomme de terre en deux sur la longueur. Retirer la chair des pommes de terre en laissant un pourtour d'environ 0,5 cm (¼ de po). Si désiré, réserver la chair pour un usage ultérieur.

6. Sur la grille chaude et huilée du barbecue, déposer les pelures de pommes de terre, côté chair dessous. Fermer le couvercle et cuire de 1 à 2 minutes.

7. Retirer les pelures de pommes de terre du barbecue. Garnir la cavité des pelures de fromage à la crème, de cheddar et de prosciutto. Saler et poivrer.

8. Éteindre l'un des brûleurs du barbecue. Sur la grille chaude du barbecue, déposer les pelures farcies du côté du brûleur éteint pour une cuisson indirecte. Fermer le couvercle et cuire de 8 à 10 minutes, jusqu'à ce que le fromage soit fondu.

9. Dans un bol, mélanger les tomates cerises avec l'oignon rouge, l'huile et le vinaigre de vin. Saler et poivrer.

10. Au moment de servir, garnir les pommes de terre de préparation aux tomates cerises et d'oignons verts.

—

Pommes de terre à la suédoise

Préparation : 15 minutes – **Cuisson :** 30 minutes – **Quantité :** 6 portions

PAR PORTION	
Calories	330
Protéines	7 g
Matières grasses	15 g
Glucides	43 g
Fibres	4 g
Fer	2 mg
Calcium	127 mg
Sodium	400 mg

- 4 grosses pommes de terre Yukon Gold
- 30 ml (2 c. à soupe) d'origan haché
- 30 ml (2 c. à soupe) d'huile d'olive
- 30 ml (2 c. à soupe) de beurre fondu
- Poivre au goût
- 60 ml (¼ de tasse) de chapelure nature
- 60 ml (¼ de tasse) de parmesan râpé
- 5 ml (1 c. à thé) de fleur de sel

—

1. Préchauffer le barbecue à puissance moyenne-élevée.

2. Inciser les pommes de terre en tranches fines, sans les trancher complètement (voir encadré ci-dessous). Déposer sur un plateau d'aluminium.

3. Dans un bol, mélanger l'origan avec l'huile et le beurre fondu. Poivrer.

4. Badigeonner les deux côtés de chacune des tranches de pommes de terre avec la préparation.

5. Déposer le plateau sur la grille chaude du barbecue et fermer le couvercle. Cuire 20 minutes.

6. Dans un autre bol, mélanger la chapelure avec le parmesan. Saupoudrer les pommes de terre de ce mélange. Prolonger la cuisson au barbecue de 10 minutes.

7. Au moment de servir, saupoudrer de fleur de sel.

—

C'EST FACILE !

—

Émincer les pommes de terre « façon suédoise »

Ces pommes de terre finement émincées s'ouvrent en éventail sous l'effet de la chaleur… à condition d'avoir préservé leur base intacte ! Pour ce faire, déposez une baguette chinoise ou une brochette de bambou de chaque côté d'une pomme de terre : les baguettes empêcheront le couteau de la trancher complètement.

PAR PORTION	
Calories	164
Protéines	4 g
Matières grasses	8 g
Glucides	23 g
Fibres	7 g
Fer	1 mg
Calcium	59 mg
Sodium	51 mg

Légumes grillés

Préparation: 15 minutes – **Cuisson**: 4 minutes – **Quantité**: 4 portions

30 ml	(2 c. à soupe) d'huile d'olive
10 ml	(2 c. à thé) de vinaigre de vin rouge
5 ml	(1 c. à thé) de thym haché
5 ml	(1 c. à thé) de romarin haché
4	carottes nantaises coupées en deux sur la longueur
3	demi-poivrons de couleurs variées coupés en deux
2	courgettes tranchées finement sur la longueur
1	petite aubergine coupée en rondelles
1	petit oignon rouge coupé en quartiers
	Sel et poivre au goût

—

1. Préchauffer le barbecue à puissance moyenne-élevée.

2. Dans un grand bol, mélanger l'huile d'olive avec le vinaigre de vin rouge, le thym et le romarin.

3. Ajouter les légumes dans le bol. Saler, poivrer et bien mélanger.

4. Sur la grille chaude et huilée du barbecue, déposer les carottes. Fermer le couvercle et cuire 4 à 5 minutes.

5. Sur la grille chaude, cuire les poivrons, l'aubergine et l'oignon rouge de 2 à 3 minutes de chaque côté. Cuire les courgettes de 1 à 2 minutes de chaque côté.

—

PAR PORTION	
Calories	148
Protéines	6 g
Matières grasses	9 g
Glucides	12 g
Fibres	2 g
Fer	2 mg
Calcium	31 mg
Sodium	459 mg

Asperges enrobées de bacon

Préparation: 15 minutes – **Cuisson**: 12 minutes – **Quantité**: 4 portions

20	asperges
8	tranches de bacon
30 ml	(2 c. à soupe) de beurre
2,5 ml	(½ c. à thé) d'ail haché
60 ml	(¼ de tasse) de cassonade
15 ml	(1 c. à soupe) de sauce soya

—

1. Préchauffer le barbecue à puissance moyenne-élevée.

2. Casser l'extrémité ligneuse des asperges. Former quatre paquets de cinq asperges chacun.

3. Enrouler deux tranches de bacon autour de chaque paquet d'asperges.

4. Déposer les paquets d'asperges sur un plateau d'aluminium.

5. Dans une casserole, faire fondre le beurre à feu moyen. Cuire l'ail 30 secondes.

6. Ajouter la cassonade et la sauce soya dans la casserole. Porter à ébullition. Retirer du feu.

7. Badigeonner les asperges de sauce.

8. Sur la grille chaude du barbecue, déposer le plateau d'aluminium. Fermer le couvercle et cuire de 12 à 18 minutes en retournant les paquets d'asperges de temps en temps, jusqu'à ce que le bacon soit cuit.

—

PAR PORTION	
Calories	596
Protéines	9 g
Matières grasses	34 g
Glucides	67 g
Fibres	6 g
Fer	4 mg
Calcium	72 mg
Sodium	417 mg

Quartiers de pommes de terre grillés et aïoli

Préparation: 15 minutes – **Cuisson**: 20 minutes – **Quantité**: 4 portions

4 grosses pommes de terre à chair jaune

Pour l'assaisonnement:

45 ml (3 c. à soupe) d'huile d'olive
15 ml (1 c. à soupe) d'épices tex-mex
15 ml (1 c. à soupe) de grains de cumin
10 ml (2 c. à thé) de thym haché
5 ml (1 c. à thé) de sarriette hachée
5 ml (1 c. à thé) d'ail haché

Pour l'aïoli à la fleur d'ail:

125 ml (½ tasse) de mayonnaise
30 ml (2 c. à soupe) de ciboulette hachée
15 ml (1 c. à soupe) de fleur d'ail dans l'huile
15 ml (1 c. à soupe) de zestes de lime

—

1. Préchauffer le barbecue à puissance moyenne-élevée.

2. Dans un grand bol, mélanger les ingrédients de l'assaisonnement.

3. Couper chaque pomme de terre sur la longueur en six quartiers. Déposer les quartiers de pommes de terre dans le bol et remuer afin de bien les enrober d'assaisonnement.

4. Dans un autre bol, mélanger les ingrédients de l'aïoli à la fleur d'ail. Réserver au frais.

5. Sur un plateau d'aluminium, répartir les pommes de terre, sans les superposer.

6. Sur la grille chaude du barbecue, déposer le plateau. Fermer le couvercle et cuire de 20 à 25 minutes en remuant de temps en temps, jusqu'à ce que les pommes de terre soient croustillantes. Servir avec l'aïoli à la fleur d'ail.

—

PAR PORTION	
Calories	211
Protéines	4 g
Matières grasses	14 g
Glucides	23 g
Fibres	3 g
Fer	1 mg
Calcium	11 mg
Sodium	98 mg

Maïs grillé avec beurre parfumé

Préparation: 15 minutes – **Trempage**: 30 minutes – **Cuisson**: 12 minutes – **Quantité**: 8 portions

8 épis de maïs avec les feuilles

Pour le beurre parfumé :

125 ml (½ tasse) de beurre ramolli

30 ml (2 c. à soupe) d'échalote sèche (française) hachée

15 ml (1 c. à soupe) de persil haché

15 ml (1 c. à soupe) d'ail haché

5 ml (1 c. à thé) de paprika fumé doux

Sel et poivre au goût

—

1. Déposer les épis de maïs non épluchés dans un bol et couvrir d'eau. Faire tremper 30 minutes.

2. Au moment de la cuisson, préchauffer le barbecue à puissance moyenne.

3. Dans un bol, mélanger les ingrédients du beurre parfumé.

4. Égoutter les épis.

5. Sur la grille chaude du barbecue, déposer les épis. Fermer le couvercle et cuire de 12 à 15 minutes, en retournant les épis fréquemment.

6. Éplucher les épis, puis les badigeonner de beurre parfumé.

—

PAR PORTION	
Calories	118
Protéines	1 g
Matières grasses	7 g
Glucides	14 g
Fibres	2 g
Fer	1 mg
Calcium	22 mg
Sodium	37 mg

Patates douces grillées

Préparation: 15 minutes – **Cuisson**: 6 minutes – **Quantité**: 4 portions

2	patates douces
30 ml	(2 c. à soupe) d'huile d'olive
15 ml	(1 c. à soupe) de jus de citron
15 ml	(1 c. à soupe) de persil haché
5 ml	(1 c. à thé) de romarin haché
5 ml	(1 c. à thé) de zestes de citron
	Sel et poivre au goût

—

1. Préchauffer le barbecue à puissance moyenne-élevée.

2. Couper les patates douces en quartiers.

3. Dans un bol, mélanger l'huile d'olive avec le jus de citron, le persil, le romarin et les zestes de citron.

4. Ajouter les quartiers de patates douces dans le bol. Saler, poivrer et bien mélanger.

5. Sur la grille chaude et huilée du barbecue, déposer les quartiers de patates douces. Fermer le couvercle et cuire les quartiers de 3 à 5 minutes de chaque côté, jusqu'à tendreté.

—

PAR PORTION	
Calories	521
Protéines	21 g
Matières grasses	19 g
Glucides	69 g
Fibres	6 g
Fer	3 mg
Calcium	310 mg
Sodium	387 mg

Pommes de terre farcies

Préparation : 15 minutes – **Cuisson** : 50 minutes – **Quantité** : 4 portions

- 4 grosses pommes de terre Yukon Gold
- 180 ml (¾ de tasse) de crème sure 14 %
- 4 oignons verts hachés
- 6 tranches de bacon cuites et hachées
- 250 ml (1 tasse) de cheddar râpé
- Sel et poivre au goût

—

1. Préchauffer le barbecue à puissance moyenne-élevée.

2. Laver les pommes de terre, puis les piquer à plusieurs endroits à l'aide d'une fourchette.

3. Envelopper les pommes de terre individuellement dans du papier d'aluminium.

4. Sur la grille chaude du barbecue, déposer les pommes de terre. Fermer le couvercle et cuire de 40 à 45 minutes, jusqu'à ce que les pommes de terre soient tendres.

5. Retirer les pommes de terre du barbecue. Retirer le papier d'aluminium. Couper le dessus des pommes de terre, puis les évider en conservant environ 1 cm (½ po) d'épaisseur de chair et en prenant soin de ne pas abîmer la peau.

6. Dans un bol, écraser la chair des pommes de terre avec une fourchette. Incorporer la crème sure, les oignons verts, le bacon et la moitié du cheddar. Saler, poivrer et remuer.

7. Farcir les pommes de terre avec la préparation au bacon, puis garnir du reste du cheddar râpé. Déposer les pommes de terre farcies sur un plateau d'aluminium.

8. Sur la grille chaude du barbecue, déposer le plateau d'aluminium. Fermer le couvercle et cuire de 10 à 12 minutes.

—

PAR PORTION	
Calories	584
Protéines	20 g
Matières grasses	20 g
Glucides	84 g
Fibres	13 g
Fer	3 mg
Calcium	523 mg
Sodium	635 mg

Brochettes de pommes de terre et halloumi

Préparation : 25 minutes – **Trempage (facultatif) :** 30 minutes – **Cuisson :** 5 minutes – **Quantité :** 4 portions

12	pommes de terre grelots coupées en deux
30 ml	(2 c. à soupe) d'huile d'olive
10 ml	(2 c. à thé) de thym haché
10 ml	(2 c. à thé) de romarin haché
5 ml	(1 c. à thé) de poudre d'ail
	Sel et poivre au goût
1	petit oignon rouge coupé en cubes
200 g	(environ ½ lb) de halloumi (fromage à griller de type Doré-mi) coupé en cubes

—

1. Si les brochettes utilisées sont en bambou, les faire tremper dans l'eau environ 30 minutes avant la cuisson.

2. Au moment de la cuisson, préchauffer le barbecue à puissance moyenne.

3. Déposer les pommes de terre dans une casserole et couvrir d'eau froide. Porter à ébullition. Retirer du feu et égoutter.

4. Dans un bol, mélanger l'huile avec les fines herbes et la poudre d'ail. Saler et poivrer.

5. Ajouter les pommes de terre, l'oignon rouge et le halloumi dans le bol. Remuer afin de bien enrober les aliments d'huile parfumée.

6. Sur quatre brochettes, piquer les pommes de terre ainsi que les cubes d'oignon rouge et de halloumi, en les faisant alterner.

7. Sur la grille chaude et huilée du barbecue, déposer les brochettes. Fermer le couvercle et cuire de 5 à 8 minutes, en retournant les brochettes de temps en temps.

—

PAR PORTION	
Calories	252
Protéines	5 g
Matières grasses	7 g
Glucides	44 g
Fibres	4 g
Fer	2 mg
Calcium	46 mg
Sodium	15 mg

Pommes de terre en papillote

Préparation : 15 minutes – **Cuisson :** 30 minutes – **Quantité :** 4 portions

30 ml	(2 c. à soupe) d'huile d'olive
15 ml	(1 c. à soupe) de sirop d'érable
10 ml	(2 c. à thé) d'origan haché
5 ml	(1 c. à thé) de grains de coriandre concassés
2,5 ml	(½ c. à thé) de paprika
4	pommes de terre à chair jaune coupées en quartiers
1	oignon émincé
	Sel et poivre au goût

—

1. Préchauffer le barbecue à puissance moyenne-élevée.

2. Dans un grand bol, mélanger tous les ingrédients.

3. Répartir la préparation sur une grande feuille de papier d'aluminium. Replier le papier d'aluminium de manière à former une papillote hermétique.

4. Sur la grille chaude du barbecue, déposer la papillote. Fermer le couvercle et cuire de 30 à 35 minutes, en retournant la papillote de temps en temps.

—

Index des recettes

Plats principaux

AU FUMOIR

BROCHETTES

BURGERS, HOT-DOGS, PIZZAS ET WRAPS

GRILLADES

POISSON ET FRUITS DE MER

SALADES-REPAS

Accompagnements

LÉGUMES

PAIN, PÂTES ET RIZ

SALADES

SAUCE, SALSA & CHUTNEY